Tu as changé ma vie

ABDEL
SELLOU

Tu as changé ma vie

Préface de Philippe Pozzo di Borgo

Avec la collaboration de Caroline Andrieu

TÉMOIGNAGE

À Philippe Pozzo di Borgo,
À Amal,
À mes enfants, qui trouveront leur propre voie.

Préface

Quand Éric Tolédano et Olivier Nakache, en cours d'écriture du film *Intouchables*, ont souhaité interroger Abdel, il leur a répondu : « Adressez-vous à Pozzo, je lui fais confiance. » Lorsque j'ai moi-même rédigé la nouvelle édition du *Second Souffle* complétée par *Diable Gardien* [1], je lui ai demandé de m'aider à me souvenir de quelques-unes de nos aventures, il a également décliné. Abdel ne parle pas de lui. Il agit.

Incroyable d'énergie, de générosité et d'impertinence, il a été présent pendant dix ans à mes côtés. Il m'a soutenu à chaque étape douloureuse de mon existence : il m'a d'abord assisté auprès de mon épouse Béatrice, qui se mourait, puis il m'a sorti de la dépression qui suivit son décès, enfin il m'a redonné le goût de vivre…

Au long de ces dix années, nous avions plusieurs points en commun : ne pas revenir sur le passé, ne pas nous projeter dans l'avenir, et surtout vivre, ou

1. Éditions Bayard, Paris, 2011.

survivre, dans l'instant. La souffrance qui me consumait tue la mémoire ; Abdel ne voulait pas se retourner sur une jeunesse que je devinais turbulente. Nous étions tous les deux lisses de tout souvenir. Pendant tout ce temps, je n'ai découvert de son histoire que les quelques bribes qu'il a bien voulu me dévoiler. J'ai toujours respecté sa pudeur ; très vite il est entré dans la famille, mais je n'ai jamais rencontré ses parents.

En 2003, à la suite du succès de son émission « Vie privée, vie publique », où le duo Abdel-Pozzo détonnait par son anticonformisme, Mireille Dumas a décidé de réaliser sur notre aventure un documentaire d'une petite heure : « À la vie, à la mort ». Deux journalistes nous ont suivis durant plusieurs semaines. Abdel leur a clairement fait savoir qu'il n'était pas question qu'ils interrogent son entourage sur son passé... Ils n'ont pas respecté cette consigne et ils ont eu droit en retour à une colère noire... Non seulement Abdel ne voulait pas parler de lui mais il ne voulait pas non plus que l'on parle de lui !

Tout semble avoir changé l'an dernier. Quelle surprise, alors, de l'entendre répondre en toute franchise aux questions de Mathieu Vadepied, le directeur artistique qui réalisait les bonus du DVD d'*Intouchables* ! Au cours des trois jours que nous avons passés ensemble dans ma résidence d'Essaouira, au Maroc, j'en ai plus appris sur Abdel qu'en quinze ans d'amitié. Il était mûr pour relater son parcours, tout son parcours, avant, pendant et après notre rencontre.

Quel chemin accompli, entre le mutisme de ses vingt ans et le plaisir qu'il prend aujourd'hui à raconter ses frasques et à faire part de ses réflexions ! Abdel, tu me surprendras toujours… Quel bonheur de lire son *Tu as changé ma vie*. J'y retrouve son humour, son sens de la provocation, sa soif de vivre, sa gentillesse, et maintenant, sa sagesse.

Ainsi donc, selon le titre de son livre, j'aurais changé sa vie… Ce dont je suis sûr, en tout cas, c'est qu'il a changé la mienne. Je le répète : il m'a soutenu après la mort de Béatrice et m'a redonné le goût de vivre avec un acharnement joyeux et une rare intelligence du cœur.

Et puis un jour, il m'a emmené au Maroc… Là, il a rencontré son épouse Amal tandis que je rencontrais ma nouvelle épouse Khadija. Depuis, nous nous voyons régulièrement avec nos enfants. Les « Intouchables » sont devenus les « Tontons ».

Philippe POZZO DI BORGO

J'ai couru à perdre haleine. J'avais la forme, à l'époque. La poursuite avait commencé rue de la Grande-Truanderie, ça ne s'invente pas. Avec deux potes, je venais de délester un pauvre petit bourgeois de son walkman, un Sony des plus classiques, un peu vieillot même, d'un modèle déjà dépassé. J'allais expliquer au garçon que nous lui rendions service, dans le fond, qu'aussitôt de retour à la maison, papa se hâterait de lui acheter un baladeur plus performant, plus facile d'utilisation, avec un meilleur son et une autonomie plus longue... Mais je n'en ai pas eu le temps.

— Vingt-deux ! a crié une voix.

— Ne bougez pas ! a hurlé une autre.

Nous avons détalé.

Rue Pierre-Lescot, j'ai slalomé entre les passants avec une adresse formidable. Facile, la classe, la vraie. On aurait dit Cary Grant dans *La Mort aux trousses*. Ou le furet, dans la chanson pour les enfants, avec une variante de taille toutefois : il est passé par ici, il ne repassera peut-être pas par là...

En prenant à droite rue Berger, j'ai pensé à m'engouffrer dans les Halles. Mauvaise idée, il y avait trop de monde à l'entrée des escaliers. J'ai bifurqué à gauche aussi sec, rue des Bourdonnais. La pluie avait rendu les pavés glissants, je ne savais pas qui, des flics ou de moi, possédait les semelles les plus performantes sur terrain mouillé. Les miennes ne m'ont pas trahi. J'étais Speedy Gonzales, je galopais à mon max, poursuivi par deux méchants chats Sylvestre prêts à me croquer. J'espérais bien que l'épisode s'achèverait de la même façon que dans le dessin animé. Arrivé quai de la Mégisserie, j'ai rattrapé un de mes potes, parti avec une seconde d'avance sur moi et meilleur sprinter. Je me suis élancé à sa suite sur le Pont-Neuf, l'écart entre nous a rétréci. Les cris des policiers s'estompaient derrière nous, il faut croire qu'ils fatiguaient déjà. Normal, c'était nous, les héros... Certes, je n'ai pas pris le risque de me retourner pour vérifier.

Je courais à perdre haleine, au point que je l'avais presque perdue. J'en avais plein les pattes et je me voyais mal poursuivre à ce rythme jusqu'à Denfert-Rochereau. Pour abréger la scène, j'ai enjambé le parapet du pont qui protège les piétons de la chute dans le fleuve. Je savais que de l'autre côté, je pourrais m'appuyer sur une corniche profonde d'une cinquantaine de centimètres. Cinquante centimètres, c'était assez pour moi. J'avais la ligne, en ce temps-là. Je me suis accroupi, j'ai regardé l'eau boueuse de la Seine qui partait vers le pont des Arts avec un débit de torrent, déjà les galoches des flics claquaient le bitume, de plus en plus fort, j'ai retenu mon souffle en espérant que leur bruit, après avoir atteint son paroxysme, continuerait decrescendo. Totalement inconscient du danger, je n'ai pas eu peur de tomber. Où étaient mes copains, je l'ignorais, mais je leur faisais confiance pour trouver rapidement une cachette imprenable, eux aussi. Les poulets sont passés, j'ai murmuré *cot cot codette* dans le col de mon sweat en ricanant. Une péniche a jailli sous mes pieds, j'ai presque sursauté de surprise. Je suis resté là un moment, le temps de retrouver une respiration normale, j'avais soif, j'aurais bien bu un Coca.

Je n'étais pas un héros. Je savais déjà que je n'en étais pas un, mais j'avais quinze ans, je vivais depuis toujours comme un animal sauvage. S'il avait fallu alors que je parle de moi, que je me définisse avec des phrases, des adjectifs, des épithètes et toute la grammaire dont on m'avait saoulé à l'école, j'aurais été bien embêté. Pas parce que je ne savais pas m'exprimer, j'ai toujours été fort à l'oral, mais parce qu'il aurait fallu que je m'arrête pour réfléchir. Que je me regarde dans un miroir, que je me taise un moment – ce qui m'est toujours difficile aujourd'hui, à quarante ans sonnés –, et que je laisse quelque chose venir. Une idée, un jugement de moi sur moi qui, s'il avait été honnête, aurait pu se révéler inconfortable. Pourquoi me serais-je infligé un exercice pareil ? Personne ne me le demandait, ni à la maison, ni à l'école. D'ailleurs, j'avais un flair infaillible pour les points d'interrogation. Si quelqu'un avait seulement l'idée de me poser la moindre question, je filais sans demander mon reste. Adolescent, je courais vite ; j'avais de bonnes jambes, et les meilleures raisons de courir.

Tous les jours, j'étais dans la rue. Tous les jours, je donnais à la flicaille une nouvelle raison de me courser. Tous les jours, j'exerçais ma vélocité d'un quartier à l'autre de la capitale, extraordinaire parc d'attractions où tout était permis. Le but du jeu : tout prendre sans se faire prendre. Je n'avais besoin de rien. Je voulais tout. J'évoluais dans un magasin gigantesque où chaque objet de tentation était gratuit. S'il y avait des règles, je les ignorais. Personne n'avait pris le temps de me les expliquer alors que je tenais encore en place, je n'avais jamais laissé à quiconque le loisir de rattraper cette lacune dans mon éducation. Et ça m'arrangeait bien.

Un jour d'octobre 1997, je me suis fait renverser par un camion semi-remorque. Fracture de la hanche, jambe gauche en vrac, opération lourde et plusieurs semaines de rééducation à Garches. J'ai arrêté de courir, j'ai commencé à prendre un peu de poids. Trois ans avant cet accident, j'avais rencontré un homme immobilisé dans un fauteuil depuis un accident de parapente, Philippe Pozzo di Borgo. Pour quelque temps, nous nous sommes retrouvés à égalité. Invalides. Gamin, ce mot n'évoquait pour moi qu'une station de métro, une esplanade assez large pour faire ses coups en douce tout en guettant l'uniforme, un super terrain de jeu. Fini de jouer, pour un temps au moins, alors que Pozzo, tétraplégique, purge sa peine à perpétuité. Tous les deux, l'an passé, nous sommes devenus les héros d'un film phénoménal, *Intouchables*. Et soudain, tout le monde veut nous toucher ! C'est que même moi, je suis un vrai chic type dans l'histoire. J'ai des dents super bien alignées, la banane en permanence, le rire spontané, je m'occupe courageusement du type dans son fauteuil. Je danse comme un dieu. Tout ce que font les deux personnages du film, les courses-poursuites en voiture de luxe sur le périphérique, le vol en parapente, les balades nocturnes dans Paris, Pozzo et moi l'avons réellement vécu. Mais ça ne représente pas deux pour cent des coups que nous avons réalisés ensemble. J'ai fait peu pour lui, en tout cas moins que ce qu'il a fait pour moi. Je l'ai poussé, je l'ai accompagné, j'ai soulagé sa douleur autant que possible, j'ai été présent.

Je n'avais jamais côtoyé un homme aussi riche. Il était issu d'une longue lignée d'aristocrates et il avait réussi sa vie, en plus : multi-diplômé, président délégué des champagnes Pommery. Je me suis servi de lui. Il a changé ma vie, je n'ai pas changé la sienne, ou si peu. Le film a enjolivé la vérité, pour faire rêver.

Autant prévenir d'emblée, je ne ressemble pas beaucoup au personnage du cinéma. Je suis petit, arabe, pas tellement tendre. J'ai fait plein de choses moches dans ma vie et je ne cherche pas d'excuses pour justifier mes actes. Mais je peux les raconter aujourd'hui : il y a prescription. Je n'ai rien à voir avec les Intouchables, les vrais, ces Indiens assurés de demeurer misérables à tout jamais. Si je fais partie d'une caste, c'est celle des incontrôlables, et j'en suis le leader incontesté. Cela tient à ma nature profonde, indépendante, rétive à toute discipline, à l'ordre établi et à la morale. Je ne cherche pas d'excuses, et je ne me vante pas non plus. D'autant qu'on peut changer. La preuve…

L'autre jour, je marchais sur le Pont-Neuf, il faisait à peu près le même temps que lors de la course-poursuite avec les deux policiers, quand j'étais môme. Une espèce de bruine désagréable, perçante, fondait sur mon crâne dégarni et un vent froid s'engouffrait dans mon blouson. Je l'ai trouvé magnifique, ce pont en deux parties qui relie l'Île de la Cité aux deux rives de Paris. Il m'a impressionné par ses dimensions, sa largeur, presque trente mètres, ses trottoirs tout confort avec des avancées circulaires sur la Seine pour permettre aux piétons d'admirer le panorama… Sans risque. Il fallait y penser ! Je me suis penché par-dessus le parapet. Le fleuve traversait Paris à la vitesse d'un cheval au galop, il avait une couleur de ciel d'orage et semblait prêt à tout engloutir. Gamin, j'ignorais que même un excellent nageur en réchappe difficilement. J'ignorais aussi que de bons Français, dix ans tout ronds avant ma naissance, avaient jeté là des dizaines d'Algériens à la flotte. Pourtant ils savaient bien, eux, que le fleuve était dangereux.

J'ai regardé le rebord de pierre sur lequel je m'étais réfugié pour échapper aux flics, j'ai frémi de mon audace passée. J'ai pensé qu'aujourd'hui, jamais je n'oserais franchir le parapet. J'ai surtout pensé qu'aujourd'hui, je n'ai plus de raison de me planquer, ni de fuir.

I

Liberté non surveillée

1

Je ne me souviens pas de la ville d'Alger où je suis né. J'ai tout oublié de ses parfums, de ses couleurs, de ses bruits. Je sais seulement que lorsque je suis arrivé à Paris, en 1975, à l'âge de quatre ans, je ne me suis pas senti dépaysé. Mes parents m'ont dit :

— Voici ton oncle, Belkacem. Voici ta tante, Amina. Tu es leur fils maintenant. Tu restes là.

Dans la cuisine de leur minuscule deux-pièces, ça sentait le couscous et les épices comme à la maison. On était juste un peu plus serrés, d'autant que mon frère, d'un an plus âgé que moi, faisait partie de la livraison lui aussi. L'aînée de la fratrie, une fille, était restée au bled. Une fille, c'est trop utile pour qu'on la cède. Elle aiderait maman à s'occuper des deux autres enfants nés après moi. Ainsi, il resterait trois marmots aux Sellou d'Alger, ce serait bien assez.

Nouvelle vie et première nouvelle : Maman n'est plus maman. Il ne faut plus l'appeler comme ça. Il ne faut même plus y penser. Maman, maintenant, c'est Amina. Elle est tellement heureuse d'avoir deux fils, tout à coup, elle désespérait depuis si longtemps qu'il ne sorte rien de son lit. Elle caresse nos cheveux, elle nous prend sur ses genoux, elle nous baise le bout des doigts, nous jure qu'on ne manquera pas d'amour. Sauf que l'amour, on ne sait même pas ce que c'est. On a toujours été logés, nourris, soignés, et bercés les nuits de fièvre, sans doute, mais il n'y avait pas de quoi en faire un plat, c'était tout naturel. Je décide que ce sera pareil ici.

Deuxième nouvelle : Alger n'existe plus. Nous vivons à Paris désormais, boulevard Saint-Michel, au cœur de la capitale française et oui, ici comme là-bas, nous pouvons aller jouer. En bas, il paraît qu'il fait un peu plus frais. Qu'est-ce que ça sent ? Est-ce que le soleil écrase les pavés comme il écrasait le bitume de ma ville natale ? Est-ce que les voitures klaxonnent avec autant d'entrain ? Mon frangin à mes basques, je vais voir. Je ne remarque qu'une seule chose au square ridiculement petit de l'abbaye de Cluny : les autres enfants ne parlent pas comme nous. Mon frère, cet empoté, reste collé à moi comme s'il avait peur d'eux. L'oncle, le nouveau père, nous rassure dans notre langue maternelle. Le français, nous l'apprendrons vite à l'école. Nos cartables sont prêts.

— Demain, les enfants, vous vous levez tôt. Bon, ce n'est pas une raison pour vous coucher comme les poules. Chez nous, les poules ne se couchent pas !

— Chez nous, l'oncle ? Mais où ça chez nous ? En Algérie ? C'est en Algérie que les poules ne se couchent pas, pas vrai, l'oncle ?

— En tout cas, elles se couchent plus tard que les poules de France.

— Mais nous, on est quoi maintenant, l'oncle ? C'est où chez nous ?

— Vous êtes des poussins d'Algérie dans une ferme française !

Troisième nouvelle : nous grandirons désormais dans un pays dont nous allons apprendre la langue, mais nous restons et resterons ce que nous sommes depuis notre première tétée. Tout cela est un peu compliqué pour des gamins et je suis déjà fermé à tout effort intellectuel. Mon frère se prend la tête entre les mains, il se blottit encore davantage dans mon dos. Qu'est-ce qu'il m'agace... Moi, je ne sais pas à quoi ressemble une école française, mais j'adopte aussitôt le credo qui sera le mien pour des années : on avisera quand on y sera.

J'étais loin d'imaginer, alors, le rififi que j'aller semer dans la basse-cour. Je n'étais pourtant animé d'aucune mauvaise intention. Il n'y avait pas d'enfant plus innocent que moi. C'est bien simple, si je n'avais pas été musulman, j'aurais porté l'auréole.

Nous étions en 1975. Les voitures qui défilaient boulevard Saint-Michel s'appelaient Renault Alpine, Peugeot 304, Citroën deux-chevaux. Les R12 semblaient déjà ringardes, à choisir j'aurais préféré la 4L qui, au moins, n'affichait aucune prétention. Un gamin pouvait traverser la rue tout seul sans qu'un policier de la brigade des mineurs le place d'office sous la protection de la justice. La ville, l'extérieur, la liberté n'étaient pas considérés comme dangereux. On croisait bien un type ivre d'alcool et de fatigue de temps à autre, mais on estimait qu'il avait choisi sa condition de clodo et on lui foutait la paix. Personne ne s'encombrait du moindre sentiment de culpabilité. Même les moins riches cédaient facilement quelques centimes.

Dans le salon de l'appartement, qui servait aussi de chambre aux parents depuis notre arrivée, mon frère et moi prenions toute la place, pachas en pantalons pattes d'eph' et cols pelle à tarte. Sur l'écran noir et blanc de la télévision, un petit mec chauve et malingre trépignait de rage parce qu'il n'arrivait pas à attraper Fantômas. D'autres fois, il dansait dans la rue des Rosiers en se faisant passer pour un rabbin. Ce qu'était un rabbin, quelle était l'ironie de sa situation, je l'ignorais parfaitement, mais je savourais quand même le spectacle. Les deux adultes regardaient leurs enfants tout neufs rire avec des éclats bruyants. Cela les mettait bien plus en joie que les gags et les grimaces de Louis de Funès. À la même époque, Jean-Paul Belmondo courait sur les toits en costume blanc, il se croyait « magnifique », je le trouvais à côté de la plaque. J'admirais bien davantage Sean Connery dans son pull à col roulé gris. Lui, au moins, ne finissait jamais décoiffé, il sortait de ses poches des gadgets incroyables qui faisaient mouche à tous les coups avec une discrétion exemplaire. La vraie classe s'appelait James Bond, elle venait d'Angleterre. Affalé sur le canapé oriental, je savourais chaque instant sans me soucier du suivant et sans jamais repenser au passé. C'était simple comme bonjour, cette vie.

À Paris comme à Alger, mon prénom est resté le même : Abdel Yamine. La racine « abd », en arabe, signifie « vénérer », « el », c'est « le ». Vénérer le Yamine. Je suçais des dattes, Amina ramassait les noyaux.

2

Donner des enfants à un frère ou une sœur qui n'en a pas, c'était – et c'est toujours –, une pratique presque courante dans les cultures africaines, qu'elles soient noires ou maghrébines. Dans ces familles, on naît d'un père et d'une mère, bien sûr, mais on devient facilement l'enfant de toute la famille, et la famille est nombreuse. Quand on décide de se séparer d'un fils ou d'une fille, on ne se demande pas tellement s'il en souffrira. Pour l'enfant comme pour l'adulte, changer de parents semble quelque chose de simple, de naturel. Il n'y a pas matière à discuter, pas de raison de pleurnicher. Les peuples d'Afrique coupent le cordon plus tôt que les Européens. Dès qu'on sait marcher, on s'engouffre dans le sillage d'un plus grand pour aller voir ce qui se passe ailleurs. On ne s'attarde pas dans les jupes de sa mère. Et si elle le décide, on en adopte une autre.

Il devait bien y avoir deux ou trois maillots de corps dans notre paquetage, mais le mode d'emploi éducatif n'était pas fourni. Comment élève-t-on des enfants, comment leur parle-t-on, que leur permet-on et que leur interdit-on ? Belkacem et Amina n'en avaient aucune idée. Ils ont donc tenté d'imiter les autres familles parisiennes. Que faisaient ces dernières le dimanche après-midi des années soixante-dix, comme elles le font encore aujourd'hui d'ailleurs ? Elles se promenaient au jardin des Tuileries. À cinq ans, j'ai donc traversé le pont des Arts pour échouer au bord d'un bassin aux eaux troubles. Quelques carpes vivotaient misérablement dans cette mare d'un demi-mètre de profondeur, je les voyais remonter à la surface, ouvrir la gueule pour aspirer un peu d'air et repartir aussitôt pour un nouveau tour de baignoire. On louait un petit voilier de bois que je poussais vers le centre avec un bâton. Emporté par le mouvement, et pourvu que le vent souffle dans le bon sens, le bateau pouvait atteindre l'autre côté du bassin en une dizaine de secondes à peine. Je partais en courant vers le point d'arrivée présumé, manœuvrais la proue du navire et relançais le voilier avec entrain. De temps à autre, je levais le nez et m'étonnais. Une arche de pierre gigantesque surmontait l'entrée du jardin.

— C'est quoi ce truc, papa ?

— Euh… Une porte ancienne.

Une porte qui ne servait à rien puisque aucun mur ni aucune clôture ne la prolongeait sur les côtés. Au-delà du jardin, je voyais des bâtiments immenses.

— Papa, c'est quoi, ça ?

— Le Louvre, mon fils.

Le Louvre… Je n'étais pas plus renseigné. Je me disais qu'il fallait sans doute être très riche pour habiter là, dans une maison si vaste et si belle, avec de si grandes fenêtres et des statues accrochées aux façades. Le jardin était grand comme tous les stades d'Afrique réunis. Éparpillés dans les allées et sur les pelouses, des dizaines d'hommes pétrifiés nous regardaient du haut de leur piédestal. Ils portaient tous des manteaux et des cheveux longs et bouclés. Je me demandais depuis combien de temps ils étaient là. Puis je revenais à mes activités. Par manque de vent, mon bateau pouvait rester coincé au milieu du bassin. Je devais alors convaincre les autres matelots d'organiser une flotte et de la lancer de telle sorte qu'elle crée un courant et libère mon vaisseau. Parfois, Belkacem finissait par relever les jambes de son pantalon.

Les jours de vrai beau temps, Amina préparait un pique-nique et nous allions déjeuner sur la pelouse du Champ-de-Mars. L'après-midi, les parents s'allongeaient sur une couverture. Les enfants ne tardaient pas à se regrouper et à se disputer un ballon. Je manquais de vocabulaire, au début, je ne me faisais pas remarquer. J'étais très gentil et très sage. Aucune différence, en apparence au moins, avec les petits Français en culotte de velours à bretelles. Le soir, comme eux, on rentrait sur les rotules. Mais à mon frère et à moi, personne ne refusait de regarder le fameux film du dimanche soir. Les westerns nous gardaient éveillés plus facilement que les autres mais on n'en voyait pas souvent la fin. Belkacem nous portait l'un après l'autre jusqu'à notre lit. Pour l'amour et le dévouement, il n'y a pas besoin de mode d'emploi.

À Alger, mon père partait travailler vêtu d'un pantalon de toile et d'une veste épaulée. Il avait la chemisette et la cravate, il frottait chaque soir à la brosse ses chaussures de cuir. Je devinais qu'il exerçait une fonction plutôt intellectuelle et peu salissante, j'ignorais laquelle, je ne posais pas de questions : au fond, je me fichais pas mal de son métier. À Paris, mon père enfilait chaque matin un bleu de travail et coiffait son crâne chauve d'une casquette épaisse. Ouvrier-électricien, il n'a jamais connu le chômage. Il y avait toujours de quoi faire, il était souvent fatigué, il ne se plaignait pas, il filait au turbin. À Alger comme à Paris, maman restait à la maison pour s'occuper de la cuisine, du ménage et, théoriquement, des enfants. Mais dans ce domaine, n'étant jamais entrée dans un foyer typiquement français, Amina était bien en peine d'imiter qui que ce soit. Elle a donc pris le parti de faire comme dans son pays d'origine : elle nous concoctait de bons petits plats et elle laissait la porte ouverte. Je ne demandais pas l'autorisation de sortir et il ne lui serait pas venu à l'idée d'exiger des explications. Chez les Arabes, la liberté non surveillée s'accorde sans restriction.

3

Dans mon nouveau quartier, il y a une statue. La même qu'à New York exactement, je l'ai vue à la télévision. Bon, elle est un peu moins grande peut-être, mais j'ai six ans, je suis minuscule, elle me paraît démesurée de toute façon. C'est une femme, debout, couverte d'un drap tout simple, elle lève une flamme vers le ciel, elle porte une drôle de couronne d'épines sur la tête. J'habite maintenant dans une cité du XVe arrondissement. Fini l'appartement exigu du vieux Paris qui me barbait, nous sommes des citoyens de Beaugrenelle désormais, un quartier tout neuf, hérissé de tours, comme en Amérique ! Les Sellou ont obtenu un appartement au premier étage d'un immeuble qui en compte sept, sans ascenseur, faits de brique rouge. On vit ici comme dans n'importe quelle cité de Saint-Denis, de Montfermeil ou de Créteil. Sauf qu'on a vue sur la tour Eiffel. D'ailleurs je me considère comme un gars de banlieue.

En bas de la cité, ils nous ont construit un centre commercial immense, avec tout ce qu'il faut dedans, il n'y a qu'à descendre et se servir. Je ne crois pas si bien dire, tout le monde se met en quatre pour me simplifier la vie.

À la caisse du Prisunic, à portée de ma petite main, se trouvent les sachets en plastique. Et juste à côté, des étagères qui portent toutes sortes d'objets et de friandises. J'adore les distributeurs de bonbons Pez, ces espèces de briquets surmontés d'une figurine : on appuie sur la gâchette, le carré de sucre monte, il n'y a plus qu'à le faire glisser sur la langue. Je me constitue rapidement une sacrée collection. Le soir venu, j'aligne en bon ordre les héros de mes dessins animés préférés. Mon frère, cet empêcheur de chiper en rond, m'interroge.

— Tu l'as eu où, le Pez Rapetout, Abdel Yamine ?

— On me l'a donné.

— Je te crois pas.

— Ferme ton bec ou je te cogne.

Il obéit.

J'aime bien aussi les bateaux, les sous-marins et les voitures minuscules pour le bain : on actionne une manivelle, sur le côté, ça remonte un mécanisme, et la machine se met en route. Plusieurs fois, j'en remplis des sacs entiers. D'abord j'entre dans le magasin, comme tous ces gens qui vont y faire leurs courses, je déplie un sachet, je fais mon choix sur le présentoir, je me sers, et je repars. Un jour, il m'apparaît que j'ai sauté une étape. Il aurait fallu passer par la caisse, selon le directeur du magasin.

— Tu as de l'argent ?

— Pour quoi faire, de l'argent ?

— Pour payer ce que tu viens de prendre !

— Qu'est-ce que j'ai pris ? Ça ? Ça vaut de l'argent, ça ? Et comment je le sais, moi ? Et puis lâchez-moi d'abord, vous me faites mal au bras !

— Ta mère, où est-elle ?

— Je sais pas, à la maison sûrement.

— Et c'est où, ta maison ?

— Je sais pas, quelque part.

— D'accord. Puisque tu fais ta forte tête, je t'emmène au poste.

Là, franchement, je ne pige rien. Le poste, je sais ce que c'est, j'y suis allé plusieurs fois avec Amina. On achète des timbres, ou bien on loue une cabine de téléphone et elle appelle ses cousines en Algérie. Quel rapport avec les Pez ? Ah si, je saisis tout à coup ! Au poste, on peut aussi obtenir de l'argent. On tend un papier au guichet, avec des chiffres dessus et une signature, et en échange, la dame sort des billets de cent francs d'un petit coffre. Je lève les yeux vers le directeur du magasin qui me tient fermement par la main, j'ai horreur de ça.

— Monsieur, ça sert à rien d'aller au poste. Je pourrai pas vous payer, j'ai pas le papier !

Il me regarde d'un air stupide, il a l'air de ne rien comprendre.

— De quoi tu parles ? Les policiers vont régler le problème, ne t'en fais pas !

Ce type est donc abruti au dernier degré. Il n'y a pas de policiers au poste, et quand bien même on en trouverait, je ne crois pas qu'ils paieraient pour mes bonbons...

Nous entrons dans un hall tout gris. Ce n'est pas le poste que je connais, ici. Des gens sont assis sur des chaises contre un mur, un homme en uniforme bleu foncé nous toise de son bureau. Le directeur ne dit même pas bonjour. Il attaque bille en tête.

— Monsieur l'agent, je vous amène ce jeune voleur que j'ai pris en flagrant délit dans mon magasin !

En flagrant délit... Il a trop regardé Columbo à la télé, celui-là... Je fais la moue et penche la tête sur le côté : j'essaie de me donner l'air de Calimero quand il s'apprête à zozoter sa phrase culte : « C'est pas zuste. C'est vraiment trop inzuste ! » L'autre en rajoute en tendant mon larcin vers le planton de l'accueil.

— Regardez ! Un plein sac ! Et je parierais que ça n'est pas la première fois !

Le policier le renvoie.

— C'est bon, laissez-le-nous. On va s'en occuper.

— Ah, mais attention, hein, je tiens à ce qu'il soit puni ! Que ça lui serve de leçon ! Je ne veux plus le voir traîner dans le magasin !

— Monsieur, je viens de vous dire qu'on s'en occupe.

Il sort enfin. Je reste là, debout, je ne bouge pas. Je ne fais plus ma tête de pauvre petite victime d'une injustice criante. En fait, je viens de réaliser que je me moque bien de ce qui va se passer maintenant. Ce n'est même pas que je ne crains rien : je ne sais pas ce que je pourrais craindre ! Puisqu'il y avait des sacs, là, juste à ma hauteur, et des bonbons, pareil, à portée de ma main, on devait bien s'attendre à ce que je me serve, non ? Je suis de bonne foi, je pensais que c'était là pour ça, les Carambar, les fraises Tagada, les Pez Mickey, Goldorak, Albator…

Le policier me regarde à peine, il me mène dans un bureau où il me présente à deux collègues.

— Le directeur du Prisunic l'a chipé en train de se servir dans les rayons.

Je réagis aussitôt.

— Pas dans les rayons ! À côté de la caisse seulement, dans les bonbons !

Les deux autres sourient avec tendresse. Je ne m'en rends pas compte sur le moment, mais je ne rencontrerai plus jamais de visages aussi doux dans cette corporation.

— Tu aimes les bonbons ?

— Ben oui, évidemment.

— Évidemment… Alors tu diras à tes parents de t'en acheter désormais, d'accord ?

— Oui… D'accord.

— Tu sauras rentrer chez toi tout seul ?

J'acquiesce.

— Alors c'est bien. File.

Je me trouve déjà dans l'encadrement de la porte. Je les entends qui se payent la tête du directeur dans mon dos.

— Non mais qu'est-ce qu'il croyait, celui-là ? Qu'on allait jeter le môme en tôle ?

Je suis le meilleur. J'ai réussi à glisser trois oursons en guimauve enrobée de chocolat dans mes poches. J'attends d'avoir passé le coin de la rue pour déguster le premier. J'en ai encore plein la bouche quand j'arrive au pied de l'immeuble. Je croise mon frère qui rentre des courses avec maman. Il me suspecte aussitôt.

— Qu'est-ce que tu manges ?

— Un nounours.

— Et tu l'as eu comment ?

— On me l'a donné.

— Je te crois pas.

Je lui souris de toutes mes dents. Noires de cacao, certainement.

4

Les Français grandissent avec une laisse autour du cou. Ça rassure les parents. Ils maîtrisent la situation. Enfin... c'est ce qu'ils croient. Je les regardais arriver à l'école le matin. Ils tenaient leur progéniture par la main, ils s'avançaient jusqu'à la grille de l'école, ils les encourageaient pour la journée avec leurs niaiseries.

— Travaille bien, mon chéri, sois sage !

Ils pensaient donner à leurs enfants assez de force pour lutter dans la jungle impitoyable de la cour où ils s'étaient fait eux-mêmes chahuter trente ans auparavant. Ils ne faisaient que les affaiblir.

Pour savoir se battre, il faut avoir fait ses armes. On ne commence jamais assez tôt.

J'étais le plus petit, pas le plus costaud, mais j'attaquais toujours le premier. Je gagnais à tous les coups.

— File-moi tes billes.

— Non, elles sont à moi.

— File-les-moi, je te dis.

— Non, je veux pas !
— Tu es sûr ?
— ... Ça va ! Ça va ! Je te les donne...

Les leçons ne m'intéressaient pas, mais c'est qu'on nous prenait vraiment pour des clowns. Vénérer le Yamine, on a dit. Alors quoi, je me serais ridiculisé, debout face à la classe, à réciter une histoire de bœuf et de grenouille ? C'était bon pour les blancs-becs.
— Abdel Yamine, tu n'as pas appris ta poésie ?
— Quelle poésie ?
— La fable de Jean de La Fontaine que tu étais censé apprendre pour aujourd'hui.
— Jean de La Fontaine ? Et pourquoi pas *Manon des Sources* ?
— Bravo ! Monsieur connaît Pagnol !
— Je préfère Guignol.
— Sellou, à la porte...

J'adorais être jeté dehors. Cette punition, la plus humiliante entre toutes, selon l'instituteur, m'offrait surtout de belles occasions de faire mon marché. Soit l'architecte des écoles parisiennes n'avait pas prévu qu'un vilain petit Abdel y pénétrerait un jour, soit il avait décidé de me faciliter le travail : les portemanteaux sont fixés à l'extérieur des classes, dans les couloirs ! Et dans les poches des manteaux, qu'est-ce qu'on trouve ? Un franc, ou deux, voire cinq les bons jours, un Yo-yo, des biscuits, des bonbons ! Alors me faire mettre à la porte, quelle aubaine...

J'imaginais les mômes, le soir, rentrant en pleurnichant à la maison.

— Maman, je comprends pas, ma pièce a disparu...

— Eh bien voilà, une fois de plus, tu n'as pas fait attention à tes affaires. Je ne te donnerai plus d'argent, tu sais !

Tu parles, jusqu'à la prochaine fois, et la prochaine moisson du petit Abdel sera tout aussi bonne...

Le jour de mes dix ans, où l'instit' m'avait offert une virée dans le couloir en guise de cadeau d'anniversaire, je suis tombé sur un morceau de carton qui valait de l'or. Il était bien caché dans le duffle-coat d'une fille sous un mouchoir de tissu blanc et rose. Au toucher, c'était plus épais qu'un billet, plus grand qu'un ticket de cinéma, mais j'avais du mal à deviner ce que j'avais trouvé là. J'ai retiré la main de la poche. Une photo. C'était une photo de la propriétaire du manteau, mais pas un simple portrait. On appelle ça un plan américain : de la tête jusqu'à la taille. Et la fille était nue.

Je l'admets : si j'étais précoce pour la fauche, je ne l'étais pas pour la chose. J'ai quand même vu immédiatement quel bénéfice je pourrais tirer de cette trouvaille.

— Vanessa, ma petite Vanessa, j'ai quelque chose qui t'appartient, je crois...

Et faisant mine de me pincer le bout des seins :

— Ça pousse, on dirait ?

— Abdel, rends-moi cette photo tout de suite.

— Oh non, c'est trop joli, je la garde.
— Rends-la-moi, ou bien…
— Ou bien quoi ? Tu en parles directeur de l'école ? Je suis sûr qu'il aimerait la voir lui aussi.
— Qu'est-ce que tu veux ?
— Cinq francs.
— C'est bon. Je te les apporte demain.

Notre transaction a duré quelques jours de plus. Cinq francs, ça n'était pas assez cher payé : j'en ai demandé plus, et encore plus. C'était un jeu, je m'amusais comme un petit fou, mais Vanessa, mauvaise perdante, a su y mettre fin. Un soir, en rentrant à la maison, mes parents m'ont pris par la main.
— Abdel, on va au poste.
— À la Poste, vous voulez dire ?
— Non. Pas à la Poste. Nous sommes convoqués au commissariat. Qu'est-ce que tu as fait ?
— Ben, franchement… Je vois pas…
Je voyais bien, mais je pensais à quelque chose de plus embarrassant qu'à mon misérable racket. Quand le policier a exposé les raisons de l'invitation, j'en ai presque soupiré de soulagement.
— Monsieur Sellou, votre fils Abdel Yamine est accusé d'extorsion de fonds.
Trop compliqué pour Belkacem, ces mots-là. D'ailleurs, moi-même, je n'ai compris que lorsqu'il a cité le nom de Vanessa. Je suis reparti en donnant la promesse de rendre le cliché à sa propriétaire dès le lendemain. Les parents n'avaient rien compris à l'histoire, ils m'ont suivi sans bredouiller

un mot, sans me poser davantage de questions. Je n'ai pas été puni, ni à la maison, ni en classe.

Des années plus tard, j'ai appris que le directeur de l'école avait été mis en prison : entre autres escroqueries, il avait pioché dans la caisse de la coopérative scolaire. Voler des enfants, franchement, ça ne se fait pas.

5

Chaque matin, je prenais mon petit déjeuner sur le chemin de l'école. Les livreurs déposaient leurs palettes devant les portes des magasins pas encore ouverts et continuaient leur parcours tranquillement. Un film plastique maintenait chaque chargement bien serré. Il suffisait d'un coup de griffe pour se servir. Un paquet de galettes Saint-Michel par ici, une cannette de jus d'orange par là. Je ne voyais pas le mal : tout était là, à même le trottoir, c'est-à-dire à portée de main encore une fois. Et franchement, un paquet de gâteaux en plus ou en moins... Je partageais avec Mahmoud, Nassim, Ayoub, Macodou, Bokary. J'étais copain avec tous les gamins de la cité Beaugrenelle qui ne comptait pas beaucoup d'Édouard, ni de Jean, ni de Louis. Pas parce qu'on ne voulait pas d'eux, mais parce qu'ils ont préféré nous laisser entre nous. De toute façon, j'étais plutôt meneur et solitaire. C'était *qui m'aime me suive,* et quand je me retournais, je trouvais ceux qui me suivaient un peu trop nombreux.

On traînait sur la dalle, cet espace bétonné entre les tours, au-dessus du centre commercial, notre base de loisirs. On était beaux, habillés à la dernière mode, avec la marque qu'il fallait. Le blouson Chevignon, le jean Levi's découpé sur le côté, avec l'imprimé de l'écharpe Burberry qui ressortait par l'échancrure. Le survêtement trois bandes Adidas. Qui revient bien d'ailleurs, ces temps-ci. Le polo Lacoste pour lequel j'ai toujours gardé de l'affection. Encore aujourd'hui, j'aime beaucoup le petit crocodile sur la poche de la chemise.

La première fois que je me suis fait prendre au magasin Go Sport, je l'avais déjà vidé plusieurs fois avant. Rien de plus simple : j'entrais, je choisissais les vêtements qui me plaisaient ; dans la cabine, je les enfilais les uns sur les autres et je repartais par le même chemin, ni vu ni connu. Juste un peu plus gros qu'en arrivant. Je parle d'un temps où les vigiles et les systèmes de sécurité n'existaient pas. Les vestes pendaient sur des cintres avec une étiquette manuscrite attachée à la boutonnière.

Un jour sont apparues des espèces d'antivols supposés inviolables. Une attache trombone permettait pourtant de les déverrouiller, il suffisait d'avoir l'idée, or je n'en ai jamais manqué, comme je ne manquais pas de temps.

Très tôt, j'ai cessé de suivre les parents dans leurs virées dominicales aux Tuileries, à la ménagerie du Jardin des Plantes ou au Zoo de Vincennes. Le dimanche après-midi, on somnolait tous devant *Starsky et Hutch* jusqu'à ce que

Yacine, ou Nordine, ou Brahim passe me prendre. On descendait sur la dalle, on cherchait plus ou moins quelque chose à faire, une nouvelle idée à mettre en pratique.

Le centre commercial restait fermé le jour du Seigneur. Pas commode pour faire ses emplettes. Quoique... Qu'est-ce qui nous empêchait d'entrer ? Cette porte métallique, là, elle donne bien sur le magasin, non ? Après tout, qu'est-ce qu'on risque...

RIEN.

La preuve.

⁂

Dans le magasin Go Sport, à côté des cabines, on peut voir une porte surmontée d'un petit panneau. Il est écrit « Sortie de secours » en lettres blanches sur fond vert. Quand un vendeur cherche un vêtement qui n'est pas disponible en rayon, il passe cette porte et revient avec l'article en question dans les mains. J'en ai déduit deux choses : d'abord que derrière la cloison se cachaient les réserves, ensuite que ces réserves proposaient une issue vers la rue. Même cet idiot d'inspecteur Gadget aurait trouvé tout seul.

L'issue en question, elle est là, devant nous : c'est une porte métallique comme j'en ai vu à la sortie des cinémas. Parfaitement plane à l'extérieur, sans aucune prise visible puisqu'elle n'a pas de serrure, elle se pousse de l'intérieur en appuyant sur une large tige horizontale métallique. Ainsi, en cas d'incendie, et même si des dizaines de personnes se précipitent sur elle en même temps, il suffit d'une pression pour qu'elle cède. Bien entendu, en théorie, on ne peut pas l'ouvrir du dehors. Gogo gadgéto burin, je débloque l'ouverture, glisse un pied dans l'entrebâillement, Yacine tire fort sur le panneau, on se faufile dans la caverne d'Ali Baba.

Mais tiens, qu'est-ce que c'est que ce portique sous lequel nous venons de passer ? On n'a encore jamais vu ça. Bon, on n'est pas là pour jouer les touristes. Je range le burin dans la poche de mon blouson et nous commençons notre exploration des biens disponibles. Pour la plupart, ils sont encore pliés et sous plastique, ce qui n'est pas très commode pour voir si le modèle nous plaît et s'il est bien à notre taille. Yacine a fait une découverte.

— Abdel ! Vise un peu le futal ! Super cool !

Je lève les yeux vers mon copain qui me fait face. C'est vrai que le jean a l'air sympa. Le berger allemand qui montre les dents juste derrière lui, beaucoup moins. Mes yeux remontent le long de sa laisse, ils se posent sur une poigne presque aussi velue que le molosse. Je continue, je tombe sur une tête carrée surmontée d'une casquette à visière. S.É.C.U.R.I.T.É. Il n'y a donc pas de doute possible.

Le gardien saisit Yacine par le col de sa veste.

— Par ici tous les deux.

— Mais m'sieur, on n'a rien fait !

— La ferme !

Il nous fait sortir du local par une petite porte, côté centre commercial cette fois, et nous boucle dans les toilettes du personnel. Clic clac, elles sont équipées d'un verrou à l'extérieur ! J'en ris de toutes mes dents.

— Yacine, t'as vu ça ? Ils sont trop malins ! Ils ont prévu que leurs chiottes pourraient servir de cellule pour les voleurs pris en flag'. Ils optimisent l'espace, quoi !

— Arrête de rigoler, on est mal, là.

— Mais non, pourquoi ? On n'a rien pris !

— Parce qu'on n'a pas eu le temps. Et on a quand même forcé la porte du magasin.

— Qui a forcé la porte ? Toi ? Tu as forcé la porte, toi, Yacine ? Bien sûr que non, et moi non plus ! Elle était ouverte, on est juste entrés !

Sur ces mots, je soulève le couvercle de la réserve d'eau et j'y dépose le burin.

Quelques minutes plus tard, le maître-chien revient avec deux policiers. Nous leur livrons notre version de l'histoire. Pas dupe, mais incapable de prouver quoi que ce soit, le gardien congédie les deux flics et nous raccompagne par là où nous sommes venus.

— Pour info, les jeunes, ce portique, c'est une alarme. Quand on passe dessous, ça déclenche une lumière rouge dans la cabine de surveillance.

Je fais mine de m'extasier devant cette prouesse technologique toute neuve.

— Ah c'est bien. C'est très utile, un truc pareil.

— Très.

La porte métallique claque dans notre dos. Nous partons rejoindre les autres zonards sur la dalle, morts de rire.

Mon plus gros coup, par le volume s'entend, je l'ai réussi quand je n'avais pas dix ans. J'ai attrapé un kart au magasin de jouets le Train Bleu, toujours au centre commercial de Beaugrenelle. Une vraie voiture électrique, on pouvait s'asseoir dedans ! Je me revois dans les escaliers, je portais la bête en équilibre sur ma tête, je descendais les marches à toute vitesse avec le directeur du magasin sur mes talons.

— Arrête-toi, voyou, arrête-toi !

Le truc valait une fortune.

Nous sommes plusieurs à l'avoir essayé, après, sur la dalle. Il ne roulait pas très bien. Honnêtement, il ne valait pas son prix.

6

Le pli était pris. Je ne pouvais plus changer. À douze ans, il n'y avait déjà plus la moindre chance que je devienne soudain le gentil citoyen que la société attendait. Tous les autres garçons de la cité, sans exception, avaient pris le même bateau que moi et n'en débarqueraient pas. Il aurait fallu nous priver de liberté, de tout ce qu'on avait, nous priver les uns des autres, peut-être, et encore… Rien n'aurait pu suffire. Il aurait fallu nous reprogrammer entièrement, comme on efface le disque dur d'un ordinateur. Mais nous ne sommes pas des machines, et personne ne pouvait se permettre d'user de la même arme que nous, à savoir la force, sans loi, sans limites.

Très tôt, nous avons compris la marche du monde. Paris, Villiers-le-Bel ou Saint-Troufignon-de-la-Creuse, même combat : où que nous vivions, c'était nous, les sauvages, contre le peuple civilisé de France. Nous n'avions même pas à nous battre pour conserver nos privilèges puisque aux yeux de la loi nous étions considérés comme des enfants, quoi que nous fassions. Ici, un enfant est forcément jugé irresponsable. On lui trouve toutes les excuses du monde. Trop couvé, pas assez, trop gâté, la pauvreté… Pour moi, je cite, « le traumatisme de l'abandon ».

Entrée en classe de sixième, au collège Guillaume-Apollinaire, dans le XVe arrondissement, et premier passage devant le psychologue. Le psychologue scolaire, évidemment. Alerté par un dossier déjà chargé en motifs de renvoi et autres appréciations peu élogieuses de la part des professeurs, il a souhaité faire ma connaissance.

— Abdel, tu ne vis pas avec tes véritables parents, n'est-ce pas ?

— Je vis chez mon oncle et ma tante. Mais ce sont mes parents maintenant.

— Ce sont tes parents depuis que tes vrais parents t'ont abandonné, n'est-ce pas ?

— Ils ne m'ont pas abandonné.

— Abdel, quand des parents cessent de s'occuper de leur enfant, ils l'abandonnent, n'est-ce pas ?

Il va bientôt arrêter, avec ses « n'est-ce pas » ?

— Je vous dis qu'ils ne m'ont pas abandonné. Ils m'ont confié à d'autres parents, c'est tout.

— Ça s'appelle un abandon.

— Pas chez nous. Chez nous, ça se fait.

Soupir du psychologue devant mon air buté. Je m'adoucis un peu pour qu'il me lâche.

— Monsieur le psychologue, ne vous en faites pas pour moi, tout va bien. Je ne suis pas traumatisé.

— Mais si, Abdel, tu l'es, forcément tu l'es !

— Si vous le dites…

Ce qui est certain, c'est que nous vivions tous dans l'inconscience, nous, les enfants des cités. Il n'y a jamais eu de signal assez fort pour nous faire comprendre que nous étions engagés sur la mauvaise voie. Les parents ne disaient rien parce qu'ils ne savaient pas quoi dire, parce que même s'ils n'approuvaient pas notre attitude, ils n'avaient pas les moyens de rectifier le tir. Chez la plupart des Maghrébins et des Africains, un enfant vit ses expériences comme il l'entend, aussi périlleuses soient-elles. C'est comme ça.

La morale restait au niveau des mots, on ne l'intégrait pas.

— Tu files un mauvais coton, mon garçon ! constataient l'institutrice à l'école, le directeur du magasin, l'officier de police qui nous attrapait pour la troisième fois en quinze jours.

À quoi s'attendaient-ils, tous ? À ce qu'on pousse un cri d'effroi, *oh Mon Dieu, j'ai fait une bêtise, mais qu'est-ce qui m'a pris, je compromets mon avenir !* L'avenir, c'était un concept inconnu, inenvisageable, on ne se projetait pas dans le temps, on n'anticipait rien, ni les coups qu'on allait donner, ni ceux qu'on essaierait d'éviter. Nous étions indifférents à tout.

— Abdel Yamine, Abdel Ghany, les garçons, venez voir. Vous avez reçu une lettre d'Algérie.

On ne prenait même pas la peine de répondre à Amina qu'on n'en avait rien à faire. La lettre restait posée sur le radiateur dans l'entrée jusqu'à ce que Belkacem la trouve et se décide à l'ouvrir. Il nous faisait un résumé timide.

— C'est votre mère, elle vous demande si ça va, à l'école, si vous avez des amis.

Je pouffais de rire.

— Si j'ai des amis ? Papa, qu'est-ce que t'en penses ?

On nous obligeait à aller au collège, on y allait parfois. On arrivait en retard, on discutait fort en classe, on se servait dans les blousons, dans les trousses, dans les cartables. On frappait par jeu. Tout était prétexte à rire. La peur que nous lisions sur le visage de l'autre nous excitait comme la gazelle en détalant excite le lion. Courir derrière une proie facile ne nous amusait pas. La voir douter, en revanche, guetter le moment où elle réaliserait que le danger était là, l'écouter négocier son salut, la laisser croire à notre bienveillance avant de porter le premier coup... Nous n'avions pas d'âme.

⁂

J'ai récupéré un hamster. Une fille du collège où je suis maintenant, en classe de cinquième, me l'a confié (bien malgré elle, personne d'autre n'en voulait). Pauvrette, elle a dépensé tout son argent de poche pour s'offrir un ami, et au moment de le rapporter chez elle, elle a eu peur de se faire gronder...

— J'aurais pas dû l'acheter, mon père m'a toujours dit qu'il ne veut pas d'animaux dans l'appartement...

— T'inquiète, je vais lui trouver une nouvelle maison, moi.

C'est marrant, cette espèce de rat. Ça grignote son P'tit Lu sans broncher, ça boit, ça dort, ça pisse. Mon cahier de maths en est tout imbibé. Pendant plusieurs jours, je trimballe la chose dans mon sac à dos. En classe, elle se tient plus tranquille que moi et quand il lui prend l'envie de s'exprimer, elle est couverte par mes complices : ils couinent très bien, eux aussi. Le prof s'étonne.

— Yacine, tu t'es coincé la main dans la fermeture Éclair de ta trousse ?

— Désolé, m'dame, c'est pas la main, ça fait mal !

Tonnerre de rires dans la classe. Même les petits bourges du XVe apprécient nos pitreries. Tout le monde connaît la cause véritable des bruits étranges qui jaillissent de mon sac, mais personne ne balance. Vanessa, encore elle, a le cœur tendre et s'inquiète pour le hamster. Elle vient me voir à la récré.

— Abdel, confie-le-moi. Je m'en occuperai bien.

— Ma belle, ça vaut des sous un animal comme ça.

L'extorsion de fonds n'a pas marché la première fois, j'espère prendre ma revanche.

— Tant pis. Garde-le, ton hamster.

Mince, elle résiste, la garce ! Me vient alors une idée maléfique : lui vendre l'animal en pièces détachées.

— Dis, Vanessa, je compte lui couper une patte, ce soir, sur la dalle, pour voir comment il court, après. Tu veux venir voir ?

Les billes bleues de ses yeux roulent dans leur orbite comme mes slips dans le tambour du lave-linge.

— Ça va pas, non ? Tu ne vas pas faire ça ?

— C'est le mien, ça me regarde.

— OK. Je te l'achète dix francs. Je te les ramène demain. Tu lui fais rien, d'accord ?

— Ça roule...

Le lendemain, Vanessa tient la petite pièce ronde dans le creux de sa main.

— Abdel, je te la donne mais je veux voir le hamster d'abord.

J'entrouvre mon sac à dos, elle me tend l'argent.

— C'est bon, donne-le-moi.

— Ah non, Vanessa ! Les dix francs, c'était seulement pour la première patte. Si tu en veux une autre, c'est dix francs de plus !

Elle m'apporte l'argent le soir même au pied de mon immeuble.

— Passe-moi le hamster maintenant, ça suffit !

— Eh, bichette, il a quatre pattes, mon hamster... Mais je te fais les deux dernières pour quinze balles, tu fais une affaire...

— Abdel, t'es vraiment un salaud ! Bon, donne-moi le hamster et je te paye jeudi au collège.

— Vanessa, je sais pas si je peux te faire confiance...

Elle est rouge cramoisi, de colère. Moi aussi, mais de rire. Je lui tends la boule de poils puante et la regarde s'éloigner. Je ne lui aurais jamais coupé une oreille, au hamster. Il est mort quelques semaines plus tard dans sa cage cinq étoiles chez la fille. Elle n'a même pas su s'en occuper correctement.

⁂

Du collège, on m'a transféré vers un lycée professionnel du XIIe arrondissement, filière mécanique générale. Chennevière-Malézieux, ça s'appelle. Le jour de la rentrée, le proviseur adjoint nous offre un cours d'histoire en même temps qu'une bonne petite leçon de morale.

— André Chennevière et Louis Malézieux furent tous deux d'ardents défenseurs de la France à l'heure de l'occupation allemande, pendant la Seconde Guerre mondiale. Vous avez la chance de vivre dans un pays en paix et prospère. Vous, vous aurez seulement à vous battre pour construire votre avenir. Je vous encourage à user du même courage que messieurs Chennevière et Malézieux dans l'apprentissage de votre métier.

Entendu. Comme les deux gus, je vais faire de la Résistance. Je n'ai jamais eu l'intention de mettre les mains dans le cambouis. J'ai quatorze ans, aucun but à atteindre, juste ma liberté à préserver. Encore deux ans à tenir et ils seront obligés de me lâcher. Après seize ans, l'école n'est plus obligatoire en France. Mais je sais que même avant, on nous lâche la bride.

Heureusement. Je n'ai rien à voir avec le troupeau dans lequel on veut me faire brouter. C'était quoi, déjà, cette histoire de moutons que la prof de français nous a racontée l'année dernière ? Les moutons de Panurge, c'est ça ! Le type en jette un à la mer, tous les autres suivent. Dans ce fichu bahut, tous les élèves ressemblent à des moutons. Il faut voir les types. L'œil éteint, trois mots de vocabulaire, une idée par an. Ils ont redoublé une fois, deux fois, trois fois pour certains. Ils ont fait croire qu'ils s'accrochaient, qu'ils guignaient le bac, la fac et toutes les conneries. Ils ont des instincts basiques : manger, *vive la cantoche*, et baiser, il n'y a pas d'autre mot puisque c'est celui qu'ils répètent entre eux toute la journée.

Trois pauvres filles ont atterri là, dans cette classe de dégénérés. L'une d'elles au moins y passera, et plus d'une fois, et sous plusieurs d'entre eux… J'ai bien des défauts, mais pas celui de cette violence-là. Merci les gars, je joue pas. Je joue ailleurs, à d'autres jeux.

7

On tournait en rond, cité Beaugrenelle. Les magasins commençaient à s'équiper sérieusement pour parer à nos visites : détecteurs de passage, antivols de plus en plus perfectionnés, vigiles, personnel attentif à un certain type de clientèle... En deux ans à peine, la sécurité avait tellement augmenté dans les magasins qu'on ne pouvait plus se servir à la source. Il fallait soit renoncer aux sweats à capuche qui nous allaient si bien, soit aller les chercher ailleurs... Directement sur le cintre, chez les gosses des beaux quartiers. Le raisonnement ne manque pas de logique, ni de cynisme, je veux bien l'admettre aujourd'hui. À l'époque, je ne me rendais compte de rien. Encore une fois, j'étais absolument incapable de me mettre à la place de quelqu'un d'autre. Je n'essayais pas, je n'avais même pas l'idée d'essayer. Si l'on m'avait interrogé sur la souffrance de l'adolescent qui vient de se faire dépouiller, j'aurais juste ricané. Puisque rien n'était grave pour moi, rien ne l'était pour les autres, a fortiori pour les blancs-becs nés avec une cuillère d'argent dans la bouche.

À partir du collège, les parents n'accompagnaient plus leur progéniture jusqu'à la grille de l'école. Dès qu'ils franchissaient la porte de leur appartement, les mômes devenaient des proies faciles. On en repérait un, tout équipé, sapé juste comme il fallait, on fondait sur lui à deux ou à trois, on l'entourait sur le trottoir et on marchait dans le même sens, comme si on allait à l'école ensemble, entre copains. Les passants passaient, ils ne remarquaient rien d'inquiétant. Je pense même qu'ils croyaient voir un spectacle réjouissant : *Ce petit communiant est donc ami avec deux Arabes ! Ce fils de bonne famille a le bon cœur de ne pas rejeter ces garçons ébouriffés au mode de vie, à l'évidence, fort instable*... Les passants n'entendaient pas nos arguments à nous.

— Tes baskets, là, c'est du combien ?

— Vous voulez dire quelle pointure ? Qu'est-ce que ça peut vous faire ?

— Réponds !

— Du quarante.

— Quarante, nickel ! Tout juste ce qu'il me faut ! File-les-moi.

— Ben non, je vais pas aller au collège en chaussettes, quand même ?

— J'ai un cutter dans ma poche. Tu voudrais pas tacher ton joli petit chandail bleu avec de vilaines gougouttes rouges ? Assieds-toi là !

Je lui désignais un banc, une marche, le pas de porte d'une boutique pas encore ouverte.

— Allez, défais tes lacets, grouille un peu !

Je fourrais les Nike dans mon sac à dos et repartais avec Yacine qui, lui, chaussant déjà du 42, avait plus de mal à s'équiper auprès des petits collégiens.

Il arrivait qu'on donne des coups. De poing, de pied. Ça, c'était quand le type ne se laissait pas faire. On trouvait cette réaction complètement stupide. Pour une paire de pompes, franchement... Je me suis fait attraper quelques fois. Je passais une heure ou deux au commissariat et je rentrais comme si de rien n'était. La police en France est loin d'être aussi terrible que dans les films. Je n'ai jamais reçu les Pages jaunes dans la tronche, ni même la plus petite gifle. On ne frappe pas les enfants, en France, ça ne se fait pas. On ne les frappait pas non plus chez Belkacem et Amina. Je me souviens des cris de certains voisins : ceux du père qui donnait du fouet dans le dos du fils, ceux du fils qui beuglait de douleur, ceux de la mère qui hurlait pour que la séance de torture prenne fin. Je me souviens de Mouloud, de Kofi, de Sékou, ils en recevaient des bien mûres. Il ne fallait pas trop leur taper sur l'épaule pendant quelques jours, après, et il ne fallait surtout pas évoquer la correction, dire qu'on avait entendu et compris ce qui s'était passé. Il ne s'était rien passé. D'ailleurs, rien ne changeait, la vie après le fouet ressemblait à la vie avant le fouet. Mouloud, Kofi et Sékou tenaient toujours leur poste au pied de l'immeuble ou sur la dalle, ils couraient toujours aussi vite.

⁂

J'ai pris de l'assurance, je m'éloigne du XVe. Ligne 10 à Charles-Michel, changement à Odéon, je descends à Châtelet-Les Halles. Il y a du monde qui se mélange. Des Noirs et des Arabes surtout. Certains se prennent pour des Américains. Ils s'empiffrent de hamburgers pour obtenir la même carrure que les danseurs de break dance. On les entend venir de loin, le ghetto-blaster rugissant sur l'épaule. Une casquette vissée au crâne, mais la visière sur la nuque, ils portent des pantalons de la plus grande taille qu'ils aient pu dénicher. Ils posent l'appareil, montent un peu plus le son et se lancent sur la piste. Ils assurent le spectacle et l'ambiance sonore, ils couvrent le bruit des négociations.

Chacun fait ses petites affaires sans se soucier des autres, je me fonds dans la masse. J'avale un sandwich, je refourgue un blouson Lacoste, une paire de Weston, rien de méchant : la drogue circule ailleurs, à l'abri de mon regard. Ce type de trafic ne m'intéresse pas, sauf pour faire enrager la jeunesse dorée du XVIe qui cherche à pimenter ses soirées de nantis. Je leur fourgue du poivron séché. Ça ne ressemble pourtant pas à du cannabis, ni par l'odeur, ni par la couleur. Ça n'a pas l'air de les étonner, ils allongent l'oseille. Je taille un morceau d'écorce d'érable, j'en fais une barrette très présentable. Il ne reste qu'à la frotter avec un peu de shit, du vrai, pour la couleur et l'odeur, et à emballer le tout dans un morceau de papier journal. Fontaine des Innocents, un blancbec en blazer se pointe.

— T'en as, t'en as ?

— Et toi, t'as le flouze ?

La transaction est aussitôt conclue, le type ne s'attarde pas. J'imagine sa tronche quand il va ouvrir le paquet. Il va sortir ses feuilles à rouler et son tabac qu'il a planqué sous son matelas, il va tenter d'émietter la camelote pour se rouler un joint, il va y laisser la peau des doigts. *Elle est bonne, ma came, Jean-Bernard ? Tu m'étonnes, c'est de l'érable !*

Les soirées, les « zoulous parties », comme on dit, se déroulent dans les sous-sols. On est tous copains, quelle que soit son origine ethnique. Et parce qu'on est tous copains, on s'ignore tous. Je connais le prénom, ou le surnom, de chacun des types qui passent par là, de même qu'ils savent qui je suis : le P'tit Abdel. Ça s'arrête là. J'ignore leur patronyme, ils n'ont jamais entendu parler de Sellou. Ils m'appellent le P'tit à cause de ma taille, pas de mon âge, quinze ans. On en voit de bien plus jeunes que moi par ici, et même des filles trop naïves. Elles flirtent avec un danger qu'elles pressentent, elles aiment les regards que ces garçons forts comme des hommes posent sur elles, elles s'en mordront les doigts. J'observe tout ce petit monde de près, je ne l'intègre pas vraiment. Un soir je suis avec les punks, dehors ; un autre, il pleut, je marchande à l'abri des galeries souterraines.

— Eh ! P'tit Abdel ! J'ai un tuyau pour ce soir. Une fille d'Henri-IV organise une fête chez elle, à Ranelagh. Ses vieux sont pas là, tu vois le genre ?

— J'en suis !

Dans ces cas-là, on s'incruste, on participe gentiment à la nouba, jusqu'à ce que l'un de nous donne le signal du départ. Alors on nettoie les lieux. Il y a toujours au moins un magnétoscope de la dernière génération à récupérer. Je débranche les fils, soigneusement, je les roule en bobine avec méthode. La petite maîtresse de maison est horrifiée. *Tous ses nouveaux copains, mais qu'est-ce qu'ils font ? Ils étaient encore tellement sympas cinq minutes plus tôt ! Comment aurait-elle pu deviner ? Ah, les vilains garçons !* Elle s'enferme dans sa chambre. Les potes se marrent de me voir marcher dans la rue, le plus naturellement du monde, avec une machine aussi lourde que moi sous le bras.

— P'tit Abdel, t'es le meilleur !

Et comment... Ce soir, on traîne du côté de la place Carrée qui porte mal son nom puisqu'elle est plutôt ronde. Tout à coup, ça a l'air de chauffer entre deux gars, là-bas, au fond, contre le mur. Chacun regarde de loin, personne ne s'approche. On ne se mêle pas des affaires des autres. Jamais. Ils commencent à se battre, c'est un spectacle banal.

Moins banale, la vue du sang qui gicle de la gorge d'un des types. Pas banal du tout, le riz, blanc, qui sort du gosier du Noir. Mort, aucun doute.

On se disperse en une fraction de seconde comme une volée de pigeons. Je n'ai pas vu la lame qui a tranché la chair, elle devait être large, solide, et la main qui la tenait puissante. Déterminée. Voilà pourquoi je ne touche pas aux drogues dures, ni pour les consommer ni pour les vendre.

C'est un trafic qui mène trop loin. C'est drôle : moi qui ne me suis jamais posé de question, moi qui vole sans scrupules, je sais déjà que jamais je ne tuerai pour de l'argent. Les flics ne vont par tarder à se pointer, je cours le plus loin possible, tous les témoins de la scène se sont éparpillés dans la ville et dans ses souterrains. J'ai vu la tête du mort pencher lourdement vers l'épaule, presque tranchée net. Je n'ai rien vu.

8

On mourait aussi dans mon quartier, de solitude et de désespoir, comme on meurt dans les villes. On se suicidait, le plus souvent en se jetant par la fenêtre. Chaque fois c'était un événement. Nous étions des centaines dans la petite cité Beaugrenelle, à peine un millier sans doute, nous nous connaissions tous. Il y avait quelque chose de sensationnel dans la disparition soudaine d'un habitant. Les vieux qui d'habitude restaient enfermés dans leur appartement sortaient sur le palier pour parler avec leurs voisins. Mais dans le fond, ils ne se disaient rien. Certains voulaient juste se faire bien voir, montrer aux autres qu'ils éprouvaient de la compassion pour ce pauvre monsieur Benboudaoud qui avait fini par craquer. D'autres cherchaient à prouver leur perspicacité en expliquant la cause du suicide qu'ils étaient seuls à connaître, bien sûr.

— Il en pouvait plus de vivre tout seul, Youssef, il était trop malheureux depuis la mort de sa femme, c'était quand déjà ?

— Ça fait bien cinq ans, mais vous vous trompez, ce n'est pas à cause de sa femme qu'il s'est tué.

Silence, suspense, roulement de tambour, l'autre restait bouche bée en attendant le dénouement.

— Il s'est tué parce qu'il a lu son courrier !

— Ah bon ? Et qu'est-ce qu'il y avait, ce matin, dans son courrier ?

— Vous n'avez pas vu qu'il tenait encore une lettre dans ses mains quand il s'est écrasé au sol ?

C'est vrai. Le vieux Youssef a dégringolé du septième étage avec un avis du fisc entre les doigts. Il faut le faire, tout de même, pour ne pas lâcher la feuille en route !

Je revois cet autre type, un Français complètement bouffé par l'alcool, ratatiné sous le poids de sa vie ratée. Il habitait dans la cage d'escalier voisine avec sa femme, aussi imbibée que lui. Elle l'a quitté pour un autre, il s'est jeté par la fenêtre. Sauf que lui, il habitait au premier... Il s'est brisé les os, il est resté là, sur le dos, avec un bras quelque part derrière la nuque, une jambe au niveau de la taille, un coude rentré dans les côtes. Quand ils sont arrivés, les pompiers ont regardé ce pantin désarticulé sans savoir par quel bout le prendre. Ils ont posé une couverture de survie sur lui, un beau papier doré. Il est mort étincelant, le petit cocu.

Un autre cas encore qui me revient, qui nous a fait rire, les copains et moi, autant qu'il nous a dégoûtés : Leila, une femme obèse qui ne sortait jamais de chez elle, s'est balancée du sixième. Son corps a fait *schploch*, il a explosé sur le bitume comme une tomate trop mûre. Une histoire d'amour, encore : son mec s'était mis en ménage, dans leur propre appartement, avec une autre. Son mec qu'on a retrouvé en partie décomposé, dans son lit, à la fin de l'été suivant : il était atteint d'un cancer en phase terminale et sa nouvelle dulcinée était partie en vacances. Elle a fait nettoyer le deux-pièces, elle y vit toujours.

J'ai joué de malchance, tout de même, quand j'y pense : moi qui étais toujours en vadrouille, moi qui ne prenais pas un repas sur huit chez mes parents, j'étais présent dans la cité chaque fois qu'un voisin se suicidait. Chaque fois, je filai fissa. Les policiers débarquaient aussitôt pour faire leur enquête. Si je ne savais jamais pour quelle raison ils me cherchaient, je savais qu'il valait toujours mieux les éviter.

Ils me cherchaient pour le meurtre de Châtelet-Les Halles. Il y avait déjà des caméras de surveillance sur la place Carrée, toute la scène avait été filmée, seulement l'image n'était pas de la meilleure qualité et elle ne suffisait pas à identifier l'assassin. Un grand type noir, en survêtement et chaussures de sport, quoi de plus commun ? Moi, ils m'avaient reconnu. Il faut dire qu'ils me connaissaient bien. Chaque fois qu'ils m'attrapaient, ils me gardaient aussi longtemps que la loi le leur permettait avant de promettre qu'on se reverrait.

On s'est revus à l'occasion d'un contrôle d'identité tout bête, un matin, dans une gare de banlieue où je venais de me réveiller. Je ne mettais quasiment plus les pieds au lycée, et à peine plus souvent chez moi : je passais mes nuits dans les RER, comme les zonards de Châtelet avec qui je traînais le soir. On s'occupait jusqu'au petit matin, et quand le trafic reprenait, vers 4 ou 5 heures, on descendait dans la station, on s'installait dans un wagon, au hasard, et on dormait quelques heures. J'ouvrais un œil de temps en temps, je voyais un type en costume-cravate bon marché, avec son petit attaché-case sur les genoux, tout juste s'il ne se l'était pas fixé au poignet par une paire de menottes. Nos regards se croisaient, je ne sais pas lequel contenait le plus de mépris. Je pensais *va bosser, va, continue de te lever à l'aube pour aller gagner ton salaire de misère. Moi, j'ai pas fini ma nuit*.

Je replongeais, j'avais la marque des coutures du siège imprimée sur la joue, je ne devais pas sentir la rose, mais ça ne sent nulle part la rose à Paris. Une voix dans le haut-parleur :

— Saint-Rémy-lès-Chevreuse, terminus. Tous les voyageurs sont invités à descendre de ce train.

Une voix dans mon oreille.

— Abdel, Abdel, putain Abdel, réveille-toi ! Faut sortir du wagon. Le train va partir au dépôt !

— Laisse-moi dormir…

Une autre voix, plus sèche, dont le propriétaire me secouait le bras.

— Contrôle d'identité. Tes papiers !

J'ai fini par me redresser, j'ai bâillé en découvrant toutes mes dents, j'ai eu l'idée de regarder l'heure sur ma montre, mais je me suis ravisé juste à temps. Le smicard en uniforme aurait pu deviner que je ne l'avais pas eue pour ma première communion.

— Je prendrais bien un petit croissant avec mon café, moi...

— Tu as de l'humour au réveil, c'est bien !

Blasé, j'ai tendu mes papiers, en règle bien sûr. Né à Alger, je possédais un permis de séjour qui venait juste d'être renouvelé. La procédure de naturalisation était même en cours : dans les années quatre-vingt, quiconque résidait en France depuis plus de dix ans pouvait obtenir un passeport bleu blanc rouge. Je ne me suis pas gêné. Mon frère, cet idiot, n'avait pas été assez vigilant avec l'administration : il a été renvoyé en Algérie en 1986. Belkacem et Amina avaient perdu un fils, sans doute celui qu'ils auraient préféré garder, à choisir. L'autre, ils allaient devoir le récupérer au commissariat.

— Sellou, la PJ veut t'entendre, on t'embarque.

— La PJ ? C'est quoi, ça, la PJ ?

— Ne fais pas l'innocent. Police judiciaire, tu sais très bien ce que c'est !

J'ai tout de suite compris qu'il s'agissait du meurtre de Châtelet. La seule affaire assez grave pour mériter une audience dans l'Île de la Cité. Je savais que je ne risquais rien : j'avais été témoin, rien de plus, et je ne connaissais pas l'identité de l'assassin. Pour une fois, je n'avais pas à mentir. Pas la peine de jouer au plus malin : on ne m'accusait de rien, je pouvais dire l'exacte vérité. Il y avait eu une bagarre, un coup de couteau, le type s'était affalé par terre, fin de l'histoire.

Mais début de mon parcours judiciaire.

9

Je viens d'avoir seize ans. Il y a quelques jours, je me suis retrouvé devant le conseil de discipline, au lycée, pour clore ma carrière de mécano. Je suis accusé d'absences répétées et, accessoirement, d'avoir décoché une droite au prof de gestion.

— Abdel Yamine Sellou, vous avez agressé monsieur Péruchon le 23 avril dernier. Vous admettez ces faits ?

Ma parole, c'est un vrai tribunal…

— J'admets, j'admets…

— Bien, c'est un début ! Pouvez-vous garantir que vous ne recommencerez pas ?

— Ah ben ça, ça dépend de lui !

— Non, ça ne dépend que de vous. Pouvez-vous donc promettre que c'est la dernière fois ?

— Non, je peux pas.

Soupir résigné du protal. Les autres jurés ne lèvent même pas le nez de leurs mots croisés. Mon insolence relève de la routine la plus banale pour eux. Ils en ont déjà tellement vu, je me demande ce qu'il faut faire pour les étonner. Je vais tenter l'humour.

— Monsieur le proviseur, vous n'allez pas me renvoyer, quand même ?

— Votre avenir professionnel vous tiendrait-il à cœur tout à coup, Abdel Yamine ?

— C'est-à-dire que... En fait je vous demande ça à cause de la cantine. Le jeudi, souvent, ils servent des frites. J'aime bien venir manger le jeudi.

Dans la salle, ils ne bougent toujours pas. Même pas le plus gros, le conseiller principal d'éducation qui ne m'a jamais donné le moindre conseil. *Eh oh ! Je parle de frites, là !* Je l'imagine en personnage de cartoon, il se transforme en loup obèse, sa langue pend jusqu'au sol, de la bave dégouline sur son gros ventre poilu, il est incapable de faire un pas jusqu'à l'assiette de frites croustillantes que le Petit Chaperon Abdel tient dans les mains.

Le proviseur interrompt mon délire.

— Votre argument culinaire risque de ne pas suffire, je suis désolé... Nous allons délibérer, mais je crois bien que l'issue du débat est déjà tranchée. Vous recevrez un courrier chez vos parents dans quelques jours. Vous pouvez partir.

— Bon ben... À un de ces quatre alors !

— Je ne crois pas, non... Bonne chance, Abdel Yamine.

⁂

La lettre n'est pas encore arrivée chez mes parents et je ne les ai pas avertis, je les ignore totalement. Je suis affranchi du système scolaire et de la famille depuis longtemps. Aux yeux de la loi pourtant, je ne peux pas être interrogé sans la présence d'un responsable légal. Une voiture de police part chercher Belkacem et Amina, ils sont conduits au 36, quai des Orfèvres, dans les locaux de la Brigade criminelle. Ils entrent dans le couloir où je somnole, affalé sur une chaise. Ils ont l'air impressionnés et abattus à la fois. Ma mère se jette sur moi.

— Abdel, qu'est-ce que tu as fait ?

— Panique pas. Tout va bien se passer.

Mon renvoi du lycée ne changera rien pour eux. Ils savent de toute façon que je n'y mets plus les pieds qu'une fois tous les trente-six du mois (pour la cantine, on aura compris) et ils n'ont aucun moyen de contrôle sur moi depuis tellement longtemps. Mais ils craignent l'audience à laquelle on les a conviés et qui va se jouer maintenant. La première fois qu'ils sont venus me chercher au commissariat du quartier, il était déjà trop tard pour me faire changer. La preuve, nous voici maintenant face à la flicaille qui gère les criminels. Ce qu'ils craignent pour moi depuis des années, en silence, avec la pudeur des impuissants, est peut-être arrivé.

— Abdel Yamine Sellou, tu as été reconnu grâce aux caméras de surveillance de la place Carrée, au troisième sous-sol du Forum des Halles. Un meurtre a été commis dans la nuit du blablabla, blablabla...

Je dors déjà. Mes parents fixent les lèvres de l'inspecteur pour mieux comprendre ses paroles. Le mot « meurtre » produit l'effet d'une décharge sur ma mère.

— T'inquiète pas, maman, c'est pas moi, j'ai rien fait ! J'étais juste là au mauvais moment !

Le policier confirme.

— Madame Sellou, j'interroge votre fils ici à titre de témoin. Il n'est pas accusé de meurtre, vous comprenez ?

Elle acquiesce et se met en retrait sur sa chaise, rassurée. Ce qui lui passe par la tête, à elle comme à mon père, je l'ignore et continuerai de l'ignorer. Ils ne parlent pas. Ils ne parleront pas beaucoup plus quand nous quitterons, tous les trois, le fameux quai des Orfèvres. Tout juste mon père se lancera-t-il dans un sermon moralisateur en arrivant cité Beaugrenelle. Ma mère le fera taire de crainte que je m'éclipse aussitôt.

Pour l'instant, je livre ma version à l'inspecteur : les types des Halles, je ne les avais jamais vus, je ne connais pas leurs noms, je ne saurais pas les reconnaître. Il ne met pas fin à l'entretien pour autant. Il me pose des questions sur moi, sur ma vie, mes habitudes, les potes de Châtelet qui n'en sont pas vraiment. Il m'assène son petit discours, pour la forme. Soit il est aussi payé pour ça, soit il soulage sa conscience. J'imagine que ce doit être rageant d'être si peu efficace dans son métier...

— Abdel Yamine, tes parents ont de petits revenus et toi tu touches une bourse de l'État pour tes études alors que tu ne suis pas les cours. Tu trouves ça normal ?

— Meurrrf...

— Cet argent est versé directement sur un compte à ton nom, en plus ! Il pourrait au moins servir à tes parents pour t'habiller et te nourrir.

— Meurrrf...

— Bien sûr, tu te débrouilles très bien tout seul, c'est ça ? Tu te conduis comme un petit coq... Bon, écoute, je vais te présenter à une femme, elle est juge pour mineurs, elle va s'occuper de toi jusqu'à ta majorité.

Mes parents ne réagissent pas. Ils ne comprennent rien à la situation, mais ils savent déjà qu'on ne leur enlèvera pas leur fils. Ils savent que je ne serai pas placé dans un centre pour jeunes délinquants. Ils savent que je serai désormais convoqué toutes les trois semaines au Palais de Justice et que ça ne changera rien, mais absolument rien, ni pour eux ni pour moi. Youssouf, Mohamed, Yacine, Ryan, Nassim, Mouloud, comme presque tous les gamins de Beaugrenelle, sont suivis par un juge pour mineurs. Tout le monde sait comment ça marche, dans la cité. Mes parents doivent croire que c'est le lot de tous, gosses d'immigrés ou gosses de Français.

⁂

Elle s'est déplacée pour nous, la juge. C'est une petite bonne femme ronde, avec une voix douce, un air très maternel. Elle me parle un peu comme si j'avais dix ans, mais sans me prendre pour un demeuré. On dirait qu'elle a envie de m'aider. Elle fait le constat de la situation sans en rajouter des tonnes dans le pathos. C'est bien la première...

— Abdel Yamine, tu n'aimes pas beaucoup l'école, on dirait ?

— Pas beaucoup, non.

— Je comprends ça, tu n'es pas le seul dans ce cas, tu sais... Mais tu aimes être dehors, la nuit ?

On m'a dit que tu as vu quelque chose d'horrible aux Halles, quelqu'un a été tué sous tes yeux, c'est bien ça ?

— Hum hum.

— Alors, est-ce que tu penses que c'est bon, pour un jeune homme de seize ans, de se retrouver dans ce genre de situation ?

Je hausse les épaules.

— Abdel Yamine, on va se revoir dans trois semaines. D'ici là, je te propose de réfléchir à ce que tu aimerais faire. À l'endroit où tu aimerais vivre peut-être. Et comme ça on en parlera ensemble, et on verra ce qu'on peut faire. D'accord ?

— D'accord.

À mes parents :

— Madame Sellou, monsieur Sellou, je vous rappelle que ce garçon est sous votre responsabilité jusqu'à sa majorité, qui est fixée à dix-huit ans en France. Jusque-là, vous vous devez de garantir sa sécurité, y compris contre lui-même. Un enfant n'est pas un fardeau, c'est une charge, et lorsque l'on devient parent on doit s'en acquitter. Vous comprenez ce que je vous explique ?

— Oui madame.

Cette fois, oui, en effet, ils ont pigé. Pas tout, mais ils ont pigé. Dans la rue, alors qu'il vient de passer trois heures à la Brigade criminelle avec les épaules basses et les yeux embués, mon père ose s'exprimer un peu.

— Tu as entendu, Abdel ? La dame, elle a dit que nous sommes responsables de toi, alors tu vas bien te tenir maintenant !

J'ai aussi entendu le mot fardeau. Je regarde ce pauvre homme qui branche des fils depuis trente ans, ensemble nous traversons la Seine par le Pont-Neuf, où j'ai quelques souvenirs, je trouve ma vie nettement plus intéressante que la sienne. Ma mère lève soudain les yeux vers moi, ils sont tout mouillés.

— Abdel, ils ont tué quelqu'un devant toi !

— C'était rien, maman. C'était comme un accident ou comme un film que j'aurais vu à la télé. J'étais là, mais j'étais pas concerné, c'était pas moi. Ça m'a rien fait.

Tous leurs sermons non plus.

II

Fin d'innocence

10

J'abusais de la faiblesse de mes parents et je ne voyais pas le mal. À six, sept ans maximum, j'ai lâché l'enfance et les voiliers des Tuileries pour entrer, sans détours, dans un état d'indépendance farouche. J'ai observé, j'ai fait mon inventaire de l'humanité. J'ai constaté que ça se passe comme chez les animaux : il y a un dominant pour plusieurs dominés. J'ai estimé qu'avec un minimum d'instinct de survie et d'intelligence, il y avait moyen de faire son trou.

Je ne me rendais pas compte que Belkacem et Amina veillaient sur moi, à leur façon. Quoi qu'on en pense, ils étaient entrés dans leur rôle, avec le peu de moyens qui étaient les leurs, et je les avais acceptés. D'ailleurs, je les appelais papa, maman.

— Papa achète-moi une nouvelle BD.

— Maman passe-moi le sel.

Je leur demandais ce que je voulais en leur donnant des ordres. Je ne savais pas que les choses sont censées se passer autrement. Ils ne le savaient pas non plus puisqu'ils ne me reprenaient pas.

Encore une fois, ils n'avaient pas le mode d'emploi. Ils pensaient que des parents aimants autorisent tout à leurs enfants. Ils ignoraient qu'on doit parfois leur interdire des choses et que c'est pour leur bien. Ils ne maîtrisaient pas assez les codes en vigueur dans la bonne société, celle qui use de formules de politesse à tout bout de champ et sait l'importance de se tenir correctement à table. Ces codes, ils ne risquaient donc pas de me les transmettre, ni de les exiger de moi.

Le soir, je rentrais souvent avec des punitions. Ma mère me voyait copier des lignes, des dizaines, des centaines, *je dois me taire et rester assis pendant la classe, je ne dois pas frapper mes camarades dans la cour de récréation, je ne dois pas lancer ma règle métallique sur la maîtresse.* Je dégageais un coin sur la table de la cuisine, j'étalais mes feuilles, je me lançais dans mon marathon d'écriture. Maman préparait le dîner à côté de moi, de temps à autre elle s'essuyait les mains sur son tablier, elle passait dans mon dos, posait une main sur mon épaule, regardait mes pattes de mouches qui s'accumulaient.

— C'est beaucoup de devoirs, hein, Abdel ? C'est bien !

Elle lisait à peine le français.

Elle ne lisait donc pas les appréciations au bas du bulletin. « Enfant perturbateur qui ne pense qu'à se battre », « Vient en cours en touriste... quand il vient », « Élève en rupture totale avec le système scolaire ».

Elle ne lisait pas non plus les convocations des instituteurs, du directeur de l'école, plus tard du principal du collège, du proviseur du lycée professionnel. À tous, j'affirmais :

— Mes parents travaillent. Ils n'ont pas le temps.

J'imitais la signature de mon père...

Encore aujourd'hui, je suis convaincu que seuls les parents qui ont connu le système scolaire français et y ont adhéré se rendent aux réunions et aux rendez-vous qu'on leur fixe pour leurs enfants. Il faut savoir comment l'école fonctionne et accepter son fonctionnement pour en faire partie. Il faut surtout le vouloir. Pourquoi Amina aurait-elle voulu quelque chose dont elle ignorait l'existence ? Pour elle, les rôles étaient distribués : son mari travaillait et ramenait de l'argent à la maison. Elle faisait le ménage, la cuisine et s'occupait de notre linge. L'école assurait notre éducation. Elle ne prenait pas en compte le caractère de son fils qui ne supportait pas la moindre consigne. Elle ne me connaissait pas.

Personne ne me connaissait vraiment, sauf peut-être mon frère qui avait peur de tout. Je me servais de lui de temps en temps, pour les petits coups qui ne demandaient aucun courage, on se parlait à peine. Quand il a été expulsé, en 1986, ça ne m'a fait ni chaud ni froid. Je le méprisais même un peu : il s'était fait jeter du seul pays où il avait vraiment vécu pour une histoire de papiers. Fallait être un peu con... Je traînais avec les potes de la cité. Je dis les potes, parce qu'on n'était pas amis. À quoi ça sert, un ami ? À se confier ? Je n'avais rien à confier puisque rien ne m'atteignait. Je n'avais besoin de personne.

À la maison, je n'ouvrais pas les lettres d'Algérie, ceux qui les écrivaient ne m'intéressaient pas, ils ne faisaient plus partie de mon monde, je ne me souvenais même pas de leurs visages : ils ne venaient jamais en France et nous n'allions jamais chez eux. Mes parents, Belkacem et Amina, étaient des gens simples, mais pas stupides. Ils avaient compris qu'on vivait mieux à Paris qu'à Alger, ils n'avaient pas la nostalgie du bled. Ils n'ont jamais empilé les matelas sur le toit du break pour la grande transhumance d'été. J'avais trois sœurs et un frère de l'autre côté de la Méditerranée. Ils n'existaient pas plus pour moi que moi pour eux. Nous étions étrangers les uns aux autres. J'étais étranger au monde entier, libre comme l'air, incontrôlable et incontrôlé.

11

En fait, c'est pas mal, cette histoire de juge pour enfants. Comme je ne touche plus l'argent de ma bourse, elle me donne une petite allocation. De quoi m'acheter un kebab-frites et payer mon ticket dans les transports. Toutes les trois semaines, je passe dans son bureau, elle me tend mon enveloppe. Si je me pointe avec des baskets trop justes pour mes pieds qui ont grandi, elle ajoute quelques billets. Elle n'a pas compris que plus elle est gentille, plus je lui en demande. Et ça marche ! Au pire, elle me fait un peu la leçon.

— Abdel Yamine, tu ne voles rien, j'espère ?

— Ah non, madame !

— Ce sweat-shirt, là, il a l'air tout neuf. Il est beau d'ailleurs !

— C'est mon père qui me l'a acheté. Il travaille, il a les moyens !

— Je sais que ton père est un homme sérieux, Abdel Yamine… Et toi, est-ce que tu as trouvé une formation ?

— Pas encore.

— Mais qu'est-ce que tu fais de tes journées, alors ? Je vois que tu portes un survêtement et que tu aimes bien les baskets. Tu fais du sport ?

— Ouais. Si on veut.

⁂

Je cours. Je cours toujours. Je cours à perdre haleine pour échapper aux policiers qui me poursuivent du Trocadéro jusqu'au bois de Boulogne. Je dors dans les trains de banlieue, je dors peu. Une ou deux fois par semaine, je me paye une chambre dans un hôtel Formule 1 pour prendre une douche. Je ne porte que des vêtements neufs, je les abandonne quand je veux en changer.

Les touristes se pressent au pied de la tour Eiffel pour se prendre en photo, ils se placent bien dans l'alignement du Trocadéro, clic-clac Kodak, le souvenir est dans la boîte et l'affaire déjà presque dans le sac : ils ne font pas attention à leurs joujoux, ces Américains. Ils tiennent leur appareil photo négligemment, au bout du bras, ils s'encombrent de manteaux de pluie, de bouteilles d'eau, de besaces qu'ils portent en bandoulière et qui entravent leur marche. Je montre l'exemple aux jeunes qui cherchent à se lancer dans le métier, j'assure leur formation. Je m'approche, les mains dans les poches, l'air innocent et béat du type qui admire le panorama, et tout à coup, aussi vif que la mangouste, j'attrape l'appareil et je détale vers l'ouest. Je traverse les jardins du Trocadéro, j'enfile le boulevard Delessert, la rue de Passy, je m'engouffre dans le métro à La Muette. Le temps que l'Américain réalise ce qui lui est arrivé et qu'il alerte les flics, je suis rentré au quartier et la marchandise est déjà refourguée. La filière est bien organisée, elle a son siège station Étienne-Marcel. Là-bas, on trouve toujours preneur pour un caméscope, un baladeur, une montre, une paire de lunettes de soleil Ray-Ban. Je ne donne pas dans le portefeuille, pas assez efficace : depuis que tout le monde paye par chèque, les gens ne gardent quasiment plus d'argent liquide sur eux, alors ça ne vaut pas la peine. Avec les outils technologiques, je m'assure facilement de sacrés bénéfices. D'autant que je profite d'une main-d'œuvre gratuite.

Les types qui zonent au Trocadéro manquent de jugeote. Ou bien ils n'ont pas encore choisi leur camp, entre celui des voleurs et celui des honnêtes gens. Ce sont des fils de commerçants, de cadres moyens, de profs, d'ouvriers, des cancres qui ne sèchent les cours qu'un jour sur deux, qui cherchent le frisson mais ne sont pas tout à fait sûrs de vouloir le trouver. Ils sont prêts à prendre des risques pour mes beaux yeux que j'ai marron, petits, rien d'exceptionnel. Ils me jugent cool, ils se sentent seuls, ils aimeraient s'encanailler un peu mais comme ils n'ont pas eu la chance de grandir dans la cité comme moi, ils ne connaissent pas le mode opératoire qu'on apprend tous au pied des tours. Ils se conduisent comme des toutous qui rapportent en courant le bâton que le maître a lancé et qui tirent la langue en espérant un morceau de sucre. Ils volent pour moi. S'il le faut, ils frappent pour moi. Ils me donnent la marchandise qu'ils sont bien incapables d'écouler de toute façon. Ils attendent à peine un merci, ils ne participent pas aux bénéfices. Ils me font pitié. Je les trouve très sympathiques.

12

Une fois, deux fois, vingt fois, je me fais embarquer. C'est toujours la même cérémonie. Les menottes, la garde à vue, plus ou moins longue. Aujourd'hui, j'y ai droit pour avoir arrosé la statue d'un certain maréchal Foch à cheval sur son fidèle destrier, tel Lucky Luke perché sur Jolly Jumper.

— Dégradation de biens immobiliers de l'État. En cellule ! On se revoit demain.

— Mais mes parents vont s'inquiéter !

— Au contraire, on va les prévenir. Cette nuit au moins, ils te sauront en sécurité !

Je me fais livrer mon sandwich directement sur mon nouveau lieu de résidence. Je file vingt balles à un bleu qui me regarde en biais – il a peur des méchants –, il va faire mes courses au coin de la rue. Quand sa tronche ne me revient vraiment pas, je l'engueule carrément.

— Alors, minable, je t'ai dit ketchup-moutarde et sans mayonnaise ! T'es même pas fichu de prendre une commande. Elle est mal barrée, la flicaille, avec toi !

Un clodo cuve son vin dans un coin de la cellule, un vieux pleurniche dans un autre. Une voix surgit d'un des bureaux voisins.

— Sellou, la ferme !

— Eh, monsieur l'inspecteur, votre blanc-bec, il m'a pas rendu ma monnaie.

Alors la voix, d'un ton las :

— Le bleu, rends-lui son pognon…

L'autre bredouille qu'il n'avait pas l'intention de le garder. Je me régale.

Comme j'officie toujours dans le même quartier, je tombe régulièrement sur les mêmes inspecteurs (ou plutôt, ce sont les mêmes inspecteurs qui me tombent dessus !). À la longue, on se connaît, on est presque intimes. Il arrive qu'ils me mettent en garde.

— Sellou, fais gaffe, l'heure tourne… Tu sais que passé ton prochain anniversaire, on pourra te coffrer pour de bon.

Je me marre. Pas parce que je ne les crois pas : je les crois, puisqu'ils le disent. Mais d'une part je ne crains pas ce que je ne connais pas, d'autre part j'ai toutes les raisons de penser que la prison n'a rien de terrifiant. Et qu'on en sort vite. Je le vois avec les Mendy, ces groupes de Sénégalais qui s'éclatent avec les filles. Ils tombent régulièrement pour viol collectif. Ils prennent six mois, à tout casser, ils sortent avec quelques kilos de plus sur le ventre, une nouvelle coupe de cheveux toute fraîche, ils recommencent aussitôt leurs trafics, ils se payent une nouvelle petite. Un seul a pris trois ans, une fois, mais c'est parce qu'il avait crevé l'œil de la gamine avec une barre de fer. C'est vraiment moche, ce qu'il a fait, mais même malgré ça, on sait qu'on le reverra bientôt. Alors la prison, franchement, ça ne me fait pas peur. Si c'était si terrible que ça, tous ceux qui y sont allés une fois se rangeraient des voitures pour ne pas y retourner. Franchement, je peux savourer mon sandwich tranquille, je pense qu'il n'y a pas de quoi trembler. Demain, je sors, les beaux jours arrivent, les femmes porteront bientôt des robes légères, je reprendrai la *dragouille*, les virées entre potes, les nuits de sommeil agité entre Orsay et Pontoise, Pontoise et Versailles, Versailles et Dourdan-la-Forêt. J'ai amassé un joli pactole sur mon compte en banque. Presque douze mille francs. J'ai un point de chute à Marseille, un autre à Lyon, un encore du côté de La Rochelle. Je vais passer de bonnes vacances. Après on verra bien. Après, je n'y pense pas.

13

Je n'ai pas fêté dignement mon dix-huitième anniversaire. Je n'y ai pas pensé, j'étais pris ailleurs, sans doute. Mais il faut croire que les flics avaient noté la date dans leur agenda parce qu'ils n'ont pas mis longtemps, après, pour m'attraper. Ils me sont tombés dessus d'un coup, quand je m'y attendais le moins, alors que je n'avais aucune raison de courir ce jour-là. J'étais même à deux doigts de partir en vacances au bord de la mer ! À moi de passer pour un imbécile heureux : je ne savais pas que les plaintes accumulées par les touristes depuis des mois pouvaient m'accabler pendant des années. Je vivais réellement comme un animal sauvage, sans conscience du temps qui s'écoulait. Tant que j'étais mineur, on ne pouvait pas me juger pour de si petits délits, et donc pas me condamner. Majeur, tout changeait, et les actes que j'avais commis avant ma majorité, écrits en lettres rouges dans mon dossier, ne jouaient pas en ma faveur. Si j'étais rentré dans le rang après le 25 avril 1989, le jour de mes dix-huit ans, ils n'auraient rien pu faire contre moi. Complètement inconscient, insouciant – un imbécile heureux –, j'ai continué d'agir comme je l'avais toujours fait, c'est-à-dire mal, et ça n'a plus duré.

⁂

Je marchais dans le couloir du métro, au Trocadéro, un couloir large et long où le vent s'engouffre en toute saison, faisant trembler les casquettes à carreaux sur la tête des vieux et les foulards de soie au cou des dames. Face à moi, j'ai vu venir un couple, tous les deux en jean, lui portant un appareil photo en bandoulière autour du cou, elle vêtue d'un imperméable beige. J'ai hésité une seconde : cet appareil, valait-il le coup ? Non, j'avais déjà accumulé une belle récolte pour la journée, je pouvais m'arrêter là. Bien m'en a pris. Ce couple, c'étaient deux flics en civil. Quand ils sont arrivés à ma hauteur, j'ai senti un bras qui passait sous mon coude et une main qui saisissait mon poignet. En une fraction de seconde, j'étais immobilisé par quatre types (mais d'où sortaient les trois autres ?), couché ventre à terre, menotté et aussitôt soulevé, dans cette position horizontale, direction la sortie. En tout, l'affaire n'a pris qu'une poignée de secondes. Un véritable kidnapping.

Du béton gris, des chewing-gums écrasés, des jambes fines perchées sur des talons aiguilles, des pantalons à pinces tombant sur des talonnettes en cuir, des baskets avachies surmontées de mollets velus, un ticket de métro usagé, un vieux mouchoir en papier, un emballage de Raider (deux doigts coupe-faim), des mégots de cigarettes par dizaines... Je comprends pourquoi Superman ne vole jamais en rase-mottes. On me redresse enfin.

— Je ne vous connais pas, vous ! Vous êtes nouveaux ? Pourquoi vous m'arrêtez ?

J'attends d'entendre la raison officielle de ma présence dans cette jolie petite voiture de police bien proprette, je ne voudrais surtout pas leur suggérer un motif de me coffrer qu'ils ignorent encore.

— Agression et vol. On t'a vu, hier, on a même fait des jolies photos de toi. Et encore ce matin, d'ailleurs !

— Ah ! Et on va où ?

— Tu verras bien quand tu y seras.

En fait non, je ne vois pas. Je ne reconnais pas cet endroit-là. Ils ont dû monter un commissariat fantôme, comme dans *L'Arnaque*, avec Robert Redford et Paul Newman. Mêmes murs crasseux, mêmes fonctionnaires désabusés rédigeant leurs rapports sur des machines à écrire bruyantes, même indifférence à l'égard du prévenu... On me pose sur une chaise, le propriétaire du bureau s'est absenté pour un moment, on m'annonce que son retour est imminent.

— Pas de problème, j'ai tout mon temps...

Je ne me fais pas plus de souci que toutes les fois précédentes. Je sortirai sans doute dans deux jours au plus tard. Quoi qu'il arrive, j'aurai vécu une nouvelle expérience.

— Je t'explique pas la procédure, tu la connais ! balance un inspecteur en s'asseyant lourdement face à moi.

— Ben si, dites toujours…

— À partir de maintenant, tu es en garde à vue. Je vais t'interroger et prendre ta déposition. Ensuite je la transmettrai au procureur qui décidera de ton inculpation. Mais c'est plus que probable, tu t'en doutes.

— OK.

Je regarde attentivement le couple du métro qui se promène entre les bureaux. Il a toujours son appareil photo suspendu autour du cou, elle a enlevé son imperméable. Ils ne me prêtent aucune attention. Ils sont passés à autre chose, un autre lascar, une autre affaire misérable.

Français, touristes, braves gens, dormez tranquilles. La police travaille pour votre sécurité.

14

Du commissariat, on m'a transféré au Palais de Justice. Le procureur m'attendait. C'est allé très vite entre nous.

— Je vois dans votre dossier que vous avez été vu mardi et mercredi sur l'esplanade du Trocadéro en train de commettre plusieurs délits sur différents touristes : vol d'un caméscope, d'un appareil photo, de deux baladeurs, agression et coups sur deux hommes qui tentaient de vous résister... Admettez-vous les faits qui vous sont reprochés ?

— Oui.

— Êtes-vous d'accord pour être jugé en comparution immédiate, assisté d'un avocat commis d'office ?

— Oui.

Aux deux officiers de police qui attendaient près de la porte :

— Merci messieurs, vous pouvez le conduire au dépôt.

Le dépôt se trouve dans les sous-sols du Palais. La lumière reste allumée nuit et jour, les montres ont été confisquées. J'ai été poussé dans une cellule et, dès lors, j'ai perdu toute notion du temps. Il ne m'a semblé ni long ni court, je n'étais ni impatient ni anxieux. La France m'avait gentiment offert un morceau de pain, une portion de camembert, une orange, des biscuits, une bouteille d'eau. Mon estomac pouvait supporter ce régime. Je pensais *quoi qu'il arrive, il y aura toujours à manger et à boire*. Je pensais : *de toute façon je ne maîtrise plus le cours des événements*. Je somnolais sur ma couchette, la troisième, collée au plafond. Étrangement, rien ne me manquait.

⁂

Les bruits qui me parviennent ne me sont pas familiers. Des types pleurent, crient, frappent la porte de leur cellule avec leurs poings : des toxicos en manque. On se croirait à l'asile psychiatrique. Le sketch qui se joue à mes pieds prête davantage à rire.

Il y a là deux Arabes, l'un petit et sec, l'autre grand et gros. Le premier fait les cent pas dans la pièce minuscule, il se confie au deuxième, sagement assis sur le lit du bas. Les Laurel et Hardy de la petite délinquance.

— C'est terrib' ! Terrib' ! Ma femme, mes fils, jamais y zont travaillé. Comment y vont faire sans moi ? Si j'y passe des mois, en prison, y vont pas pouvoir manger !

Le gros se marre, mais c'est un bon gars, il cherche aussi à rassurer l'autre.

— Allez, t'inquiète pas... Ta femme, si elle doit travailler, eh bien elle s'y mettra ! Tes gosses, pareil ! Et quand tu rentreras chez toi, tu trouveras le compte postal plus garni qu'aujourd'hui, va !

— Ah, j'y suis pas sûr, j'y suis pas sûr !

— Pourquoi tu es là, d'abord ?

— Pour un portefeuille...

Là, je ne peux pas m'empêcher d'éclater de rire. J'ai dix-huit ans et je donne déjà dans le grand banditisme par rapport à ce type qui pourrait largement être mon père. Je ne dis rien, je ne veux pas me faire un ennemi, même chez les faibles, mais je trouve pitoyable de se faire coffrer, à cinquante-cinq piges, pour un vol de porte-monnaie. Et il panique, en plus ! C'est déjà hallucinant qu'il soit là pour si peu, mais c'est délirant qu'il s'en rende malade. Et j'ai du mal à imaginer que la justice française dépense un seul franc de son petit budget pour juger un looser comme lui. Clairement, il ne met pas le pays en péril, et si la prison doit avoir un pouvoir de dissuasion, c'est bien sur un homme de ce genre-là.

On va vérifier ça très vite : la porte s'ouvre, on vient nous chercher pour le jugement en comparution immédiate. Nous allons y passer tous les trois, mais aussi une dizaine d'autres prévenus qui nous rejoignent dans le couloir. Nous grimpons ensemble les étages jusqu'au tribunal.

Je ne suis jamais allé au théâtre de ma vie mais j'ai vu des pièces à la télévision quand j'étais petit. « Les décors sont de Roger Harth et les costumes de Donald Cardwell... » Eh ben voilà, nous y sommes, je suis prêt à improviser. La mise en scène semble bien réglée, les rôles sont distribués judicieusement. Il y a celui qui chiale pour attendrir les juges. Celui qui prend un air contrit, comme à confesse, enfin c'est ce que j'imagine. Celui qui se tord de douleur, ou qui fait mine de souffrir en tout cas, même si personne ne s'intéresse à lui. Il y a le blasé, il met sa bouche en cul-de-poule, il sifflote tout doucement entre ses dents. Il y a le ravi de la crèche, à se demander s'il n'est pas complètement idiot, heureux d'être là ! Il y a moi, enfin, les mains dans les poches, affalé sur mon banc en attendant mon tour, feignant d'être endormi pendant que les premières scènes se jouent. Les yeux mi-clos, j'observe, je détaille, je savoure. De nouvelles cases se remplissent dans mon inventaire de l'humanité mais j'arrive toujours à la même conclusion : il y a beaucoup de dominés, peu de dominants, et les juges ne font pas forcément partie de la dernière catégorie. Ils transpirent dans leur robe noire, ils soupirent à chaque nouveau cas, ils lèvent à peine les yeux sur le prévenu qui s'avance, ils bâillent pendant le petit discours du défenseur (appeler ça une plaidoirie constituerait une injure aux avocats que j'admire et respecte sincèrement). Le président du tribunal ordonne sa sentence et donne un coup de marteau sur la table.

— Affaire suivante !

Il semble vouloir en finir au plus vite. Je le regarde et je me demande si ça valait bien la peine de se coltiner des années d'études pour se retrouver là, dans une salle poussiéreuse, assis sur une chaise inconfortable, en train de faire la morale à des Mohamed préretraités qui piquent des portefeuilles. D'ailleurs, que faut-il s'infliger, comme études, pour en arriver là ? Les jeunes bourges du

XVIe parlent tous d'aller « faire leur droit à Assas ». Mais le droit, ça consiste en quoi ? Le droit, mon droit, c'est tout ce que je décide pour ma pomme. J'ai dix-huit ans et quelques semaines, je frime en survêtement Lacoste, j'emballe facilement des filles faciles dans les soirées où je m'incruste, je pique la Volvo du papa, je vais manger des fruits de mer en Normandie, je laisse la voiture au bord de la route quand la jauge est à sec et je rentre à Paris en auto-stop. Je n'ai encore rien appris.

Un homme quitte la salle d'audience entre deux policiers, il pleure comme un bébé. Il est presque à la porte qu'il supplie encore.

— Monsieur le juge, je vous le jure, je le ferai plus jamais !

Monsieur le juge ne l'écoute pas, monsieur le juge est déjà passé à un autre cas. C'est le tour du ravi de la crèche, accusé d'avoir cassé le guichet d'une station de métro en lançant une poubelle dans la paroi de verre.

L'avocat intervient aussitôt.

— Monsieur le président, je vous demande de noter que mon client a accompli ce geste malheureux à un moment où aucun employé de la RATP n'était assis derrière la vitre. Il savait donc qu'il ne blesserait personne.

— Certes, Maître…

Maître comment, déjà ? À l'évidence, le juge a oublié le nom de l'avocat. Il s'adresse au prévenu.

— Sur les six dernières années, vous en avez passé plus de cinq en prison, toujours pour ce type de dégradation. Expliquez-moi un peu pourquoi vous recommencez à chaque fois ?

— Monsieur le juge, je n'ai pas de famille. C'est dur, la vie, dehors...

— C'est donc ça... Eh bien soit, je vous renvoie vous faire dorloter en prison... Six mois ferme.

Tout juste s'il ne demande pas à l'accusé si ça suffira. Le type n'est plus ravi, il exulte.

Le vieux qui avait piqué le portefeuille est relaxé. Pour moi, ce sera dix-huit mois d'emprisonnement, dont huit avec sursis et incarcération immédiate à l'issue de l'audience. Le jugement est tombé en quelques minutes. J'ai admis les faits qui m'étaient reprochés, toujours aussi inconscient, le tribunal n'a pas cherché à en savoir plus et, de fait, il n'y avait sans doute rien de plus à savoir.

Dix mois de prison, donc, à peine un an. La sentence ne m'affole pas. Je suis presque soulagé, moi aussi, comme le SDF qui cherche le gîte et le couvert. En ce qui me concerne, c'est d'un lit que je rêve. Disparaître un peu. M'effacer, au moins. Il y a toujours un matelas pour moi cité Beaugrenelle, et des draps propres, parfumés à la lavande, ou à la rose, mais je n'ai quasiment pas mis les pieds chez mes parents depuis des mois. Même si je ne montre pas que je les respecte, même si mon attitude, au contraire, indique que je me soucie peu de ce qu'ils pensent, je ne me permets pas de pousser la porte au petit matin, la tronche enfarinée, saoul des mauvais coups donnés ou reçus dans la nuit. L'heure à laquelle je m'essouffle est celle où mon père se lève. Il avale son café seul dans la cuisine, il se prépare sans joie à une nouvelle journée de travail, il est vieux, il est fatigué. Il y a longtemps que j'ai compris l'indécence de plonger dans les draps repassés par Amina.

Je n'en peux plus. J'ai trop dormi dans les trains de banlieue. Je suis crevé. Je veux une couverture, des repas chauds, regarder les « Looney Tunes » le dimanche soir à la télé. Allez, c'est parti. En route pour Fleury.

15

Bienvenue à la maison de repos.

La journée commence en douceur avec le flash-info. À 8 heures, un journaliste au débit de mitraillette annonce qu'un train a déraillé dans le Doubs, faisant quatre blessés légers, les passagers en état de choc ont été évacués par les pompiers. Cocorico, Alain Prost a remporté le Grand Prix automobile des États-Unis. La météo de ce week-end : ensoleillée, passage nuageux sur le Nord-Est et risque d'orages, températures comprises dans les normales de saison. J'émerge tout doucement, le présentateur laisse sa place à une mauvaise chanson de Jean-Jacques Goldman mais je ne suis pas inquiet : dans la journée, j'aurai bien droit à trois ou quatre passages de *La Lambada*, le tube de l'été à ce qu'il paraît. Ils font tout pour nous en convaincre, en tout cas…

Les verrous sautent. Je m'étire et je me masse la nuque, je bâille à m'en décrocher la mâchoire. Le café ne va pas tarder, j'entends le chariot qui progresse dans le couloir. Je tends mon bol, j'attrape mon plateau, je reviens vers ma couchette. C'est la coupure pub sur Chérie FM. Un chœur de minettes se réjouit parce que les pompes sont à cent quatre-vingt-dix-neuf francs. Selon elles, « il faudrait être fou pour dépenser plus ». Si je leur disais que je connais des tas de combines pour ne rien dépenser du tout ? Je trempe ma tartine, la margarine se dissout et forme de minuscules lentilles jaunes à la surface... Petit déjeuner au lit, que demande le peuple ? Un peu de silence peut-être. Je baisse autant que possible le volume de la radio qui va diffuser sa sérénade jusqu'à l'extinction des feux. Impossible de la faire taire complètement. Liane Foly, Roch Voisine et Johnny Hallyday constituent la pire torture infligée aux détenus de Fleury-Mérogis. Un supplice digne de la goutte d'eau. Il y aurait de quoi devenir dingue s'il n'était pas possible de couvrir les miaulements asthmatiques de Mylène Farmer par le ronron rassurant de la télévision. Moi, je suis riche : plus de douze mille francs quand je suis arrivé, et il n'en faut que soixante par mois pour louer un poste ! Je ne m'en prive pas. On reçoit les six chaînes, Canal + comprise. C'est l'heure du télé-achat.

Pierre Bellemare voudrait que je lui téléphone. Il espère me vendre un moule à gaufres. Je fais le tour de ma cellule, avec les yeux, pas besoin de me déplacer. *Désolé mon Pierrot, mais il n'y a plus de place pour le sucre glace dans mon placard.* Il est plein de paquets de cigarettes (pour les nouveaux arrivants en manque, moi je ne fume pas) et de Pepito (pour mon goûter). Quand j'ai des courses à faire, je donne mon numéro d'écrou qui est aussi celui de mon compte. 186 247 T. Je suis prélevé directement, à la source, sans TVA, sans cotisation sociale forfaitaire. J'améliore l'ordinaire mais je n'ai déjà pas à me plaindre : le jour de mon arrivée, j'ai été accueilli par Ahmed, un pote de la cité Beaugrenelle. Comme il était sur le point de sortir, il m'a livré tout le matériel nécessaire : l'éponge et la lessive Saint-Marc, le petit miroir rectangulaire cerné de plastique rose, le savon qui n'arrache pas la peau, le poste pour écouter les CD, avec le casque bien sûr, la bouteille Thermos pour garder l'eau au frais ou le café au chaud.

D'illimité, mon monde s'est réduit à quelques mètres carrés. Je n'en respire pas plus mal. En milieu de matinée, un surveillant me propose d'aller prendre l'air. Ce n'est pas une obligation, j'ai le droit de continuer à guetter la bonne affaire dans la boutique télévisée du vieux moustachu. Mais non, j'aime bien sortir. C'est souvent l'occasion de faire des affaires. Le sevrage est cruel pour les fumeurs de Gitanes fraîchement débarqués. Avec un peu de chance, s'ils sont tombés sur un flic compatissant pendant leur garde à vue, ils ont pu s'en griller une ou deux, mais ils restent loin de leur dose quotidienne habituelle. On repère facilement les nouveaux : ils portent l'uniforme qu'on leur a remis à l'entrée, ils n'ont pas encore eu le temps ni l'occasion de faire venir de l'extérieur leurs vêtements personnels. Ils se placent dans le sillage des volutes qu'exhalent les détenus établis et se jettent sur les mégots que ces derniers balancent avec dédain. La négociation peut commencer.

— Salut, moi c'est Abdel. Tu veux des clopes ?

— Ousmane. Sûr que j'en veux ! Qu'est-ce que tu attends, en échange ?

— Ton blouson en jean, là, c'est un vrai Levi's ?

— Il t'ira pas, il est trop grand pour toi.

— T'inquiète, je saurai quoi en faire... Quatre paquets contre ton blouson.

— Quatre ! Abdel, mon frère, tu me prends pour un imbécile, ma parole ! Il en vaut au moins trente.

— Je monte à six, pas plus. À prendre ou à laisser.

— Six... Je tiens trois jours avec six paquets.

— À prendre ou à laisser.

— OK, je prends...

La transaction ne peut pas avoir lieu pendant la promenade : interdit par le règlement. Elle sera finalisée plus tard dans la journée par un système bien rodé qu'on appelle le Yo-yo et que tolèrent les surveillants. Même les détenus qui ne sont pas concernés jouent le jeu : d'abord parce que ça occupe un moment, ensuite parce que tout le monde peut avoir besoin de quelque chose un jour, enfin parce que refuser de participer revient à s'exclure définitivement de notre petite communauté. Je noue un chiffon autour des cigarettes, j'attache l'ensemble à un drap, je le passe par la fenêtre et je commence à le balancer de droite à gauche. Quand le mouvement a suffisamment d'amplitude, mon voisin peut attraper le paquet. Il le fait passer à son tour à son voisin de cellule, lequel reproduit le même geste, et ainsi de suite jusqu'à ce que le colis parvienne à son destinataire. Ce dernier attache le blouson de jean dans le drap et me le fait passer par la même voie. Il arrive que le tissu se déchire ou qu'un prisonnier maladroit le laisse échapper. Il finit dans les rouleaux de barbelés au sol, perdu pour tous et pour toujours… Pour éviter ce genre d'incident, on s'assure toujours qu'on « crèche » pas trop loin de son partenaire d'affaires.

Arrive l'heure de la cantine. Bientôt celle de la sieste. Demain, jour de visites. Mes parents viennent me voir une fois par mois. On ne se dit rien.

— Ça va fils, tu supportes ?

— Impec' !

— Et les autres, dans ta cellule, ils te laissent tranquille ?

— J'ai une chambre individuelle. C'était mieux pour tout le monde… Ça va, je vous assure, c'est cool !

On ne se dit rien, mais je ne leur cache pas la vérité : je coule des jours tranquilles à Fleury-Mérogis. On est entre nous ici. On a mendié, on a volé, un peu frappé, on a dealé, on a couru, on a trébuché, on s'est fait attraper. Rien de grave. Certains se vantent d'être tombés pour braquage, on ne les croit pas. Les vrais méchants crèchent à Fresnes. Un type prénommé Barthélemy se targue d'avoir raflé des diamants place Vendôme. Tout le monde se marre : on sait qu'il est en taule pour avoir arraché un sandwich merguez-frites des mains d'un costume-cravate à La Défense. Il a été condamné pour « préjudice moral », j'adore !

Dans l'après-midi, aux heures fixes, je monte le son de la radio pour écouter les flashs d'information. J'entends que des policiers du RAID se sont fait piéger par un forcené à Ris-Orangis. Croyant que leurs collègues avaient réussi à faire sauter la porte de l'appartement où le type s'était retranché, plusieurs flics armés jusqu'aux dents sont entrés par la fenêtre. Le fada les attendait ; agent de sécurité, il avait de quoi tuer lui aussi. Il a tiré le premier. Ça fait deux poulets de moins dans la basse-cour. Je ne m'en réjouis pas, je ne les pleure pas non plus : je m'en fous. Ce monde est absurde, il est peuplé de dingues, et tout m'amène à penser que je ne suis pas le plus redoutable, loin de là. Je baisse le son, je rallume la télé. Charles Ingalls scie du bois, ses gamins traversent la prairie en courant, Caroline attise les braises dans la cheminée de la petite maison. Je m'assoupis…

Je suis au chaud. Fleury, c'est la colo. Le club Med des *Bronzés* sans le soleil et les nanas. Les surveillants, ces gentils organisateurs, font tout pour ne pas nous contrarier. Les coups de matraque, les insultes, les humiliations, j'en ai vu dans les films, mais jamais depuis mon arrivée ici. Quant au prétendu « coup de la savonnette », dans la douche, c'est une pure légende, ou un fantasme, je ne sais pas. Je plains les gardiens : eux sont condamnés à passer ici le reste de leur vie. Ils ne sortent de ces immeubles gris, le soir, que pour entrer dans un autre bâtiment pas plus réjouissant. La seule différence, c'est la place des verrous : chez eux, ils ferment de l'intérieur, ils les protègent des vilains comme nous qu'on n'a pas encore mis en cage. Ici ou ailleurs, les matons vivent enfermés. Les détenus comptent les jours avant la sortie, les gardiens comptent les années avant la retraite…

À mon arrivée, moi aussi j'ai compté les jours. Une semaine m'a suffi pour comprendre qu'il valait mieux arrêter, laisser le temps filer, vivre chaque instant sans m'inquiéter du suivant, comme d'habitude... Je suis devenu sociable, j'ai su me faire bien voir de mes voisins. Entre deux cellules, le mur est toujours troué d'un rond de huit ou dix centimètres de diamètre, à hauteur de taille. Il permet de se parler, de se passer des cigarettes ou un briquet, mais aussi de faire profiter son voisin de la télévision s'il n'en a pas. Il suffit de placer un miroir sur un tabouret de telle sorte qu'il renvoie l'image. L'autre regarde le film dans une position plutôt inconfortable, l'œil vissé au trou, et il doit tendre l'oreille pour saisir les dialogues, mais c'est toujours mieux que rien. Chaque premier samedi du mois, Canal + diffuse un porno. Quelques minutes avant le début, tous les prisonniers tambourinent sur les portes, sur les tables, sur le sol. Pas pour manifester un besoin irrépressible de s'évader, c'est certain. Pourquoi alors ? Je n'en sais rien. Je participe au barouf comme les autres, je me marre de les entendre tous, alors que j'aimerais bien qu'ils se taisent, si souvent. Fleury-Mérogis ne fait jamais silence. Jamais. Sauf pendant le porno mensuel. Dès que ça commence, plus personne ne bronche.

J'ai appris à m'extraire du bruit ambiant en créant ma propre musique. Elle est alimentée par les films avant tout. *Il était une fois dans l'Ouest* est sorti deux ans avant l'arrivée du divin Abdel sur terre. Heureusement, mon western favori repasse souvent et je ne le rate jamais. J'ai appris des répliques par cœur, à force : « Je vous avais demandé de les intimider, pas de les assassiner ! » Réplique sanglante de l'autre : « On est bien plus intimidé quand on agonise. » Ou celle-là : « J'ai vu trois vestes comme celle-là ce matin à la gare. Dans les trois vestes, il y avait trois hommes. Et dans les trois hommes, il y avait trois balles. » Ça en jette ! Il m'arrive de tomber sur un muet de Charlie Chaplin, je ris tellement que les surveillants s'inquiètent pour ma santé mentale. Je ris presque autant quand j'écoute les informations diffusées à la radio et à la télévision. À Creil, trois filles sont allées au collège couvertes d'un voile intégral, et les Français se croient aussitôt en Iran. Ils paniquent littéralement. Les nouvelles sont si pitoyables qu'il vaut mieux les prendre à la rigolade.

C'est déjà le soir, la lumière et la télé s'éteignent toutes seules après le deuxième film. C'est déjà la fin de l'année, j'ai quasiment terminé mon temps si l'on tient compte des remises de peine. J'ai dû prendre dix kilos à rester allongé toute la journée comme un vieux pacha. Ça ne me va pas très bien, je ne m'inquiète pas : je sais que des affaires m'attendent, dehors, qu'il faudra être vif à nouveau, démarrer au quart de tour, courir vite et longtemps, je maigrirai. En juin, au tribunal, j'ai admis les faits qui m'étaient reprochés parce que je pensais que je reverrais le soleil plus rapidement si j'allais directement à la vérité. En réalité, il aurait suffi que je nie pour qu'on me remette en liberté en attendant la tenue de mon procès. J'aurais peut-être disparu, alors, caché par les potes ou par la famille en Algérie. J'aurais eu tort puisque j'aurais raté une expérience intéressante et pas traumatisante du tout.

⁂

Le 9 novembre, allongé sur ma couchette, j'apprends de la bouche de Christine Ockrent qu'un mur sépare l'Europe en deux depuis vingt-huit ans. Les journaux tournent en boucle sur l'événement : le rideau de fer vacille. Bientôt, je vois des gens qui descellent des parpaings et qui s'enlacent sur des ruines. Un vieux bonhomme joue du violoncelle devant des graffitis. L'Est et l'Ouest étaient donc parfaitement imperméables l'un à l'autre jusqu'à ce jour. Ça n'était pas une invention de scénaristes hollywoodiens, et James Bond, s'il existait, se battrait réellement contre les espions soviétiques...

Je me demande tout à coup où je vivais avant Fleury-Mérogis, sur quelle planète. Enfermé dans ma cellule depuis six mois, j'ai découvert le monde. Absurde, décidément. Ici, les surveillants m'appellent « le touriste » parce que je prends tout à la légère. J'ai cet air dégagé du type qui ne fait que passer.

D'ailleurs, mon temps est fini, je me casse. Merci les gars, je me suis reposé, me voilà prêt à replonger dans le grand bain du n'importe quoi. À Berlin, au Trocadéro, à Châtelet-Les Halles, dans les sous-sols d'Orsay, il semble que c'est partout le même foutoir. Et si je dois revenir à Fleury, eh bien... j'y reviendrai.

16

Il ne m'a fallu que quelques semaines... Une grosse poignée de jours et de nuits pendant lesquels je ne me suis pas ennuyé. Aussitôt après avoir récupéré ma montre et mes lacets, je me suis relancé dans le business. Il y avait de plus en plus de baladeurs CD en vadrouille autour de la tour Eiffel, et des ingénieurs très inspirés avaient bien travaillé à parfaire la qualité des caméscopes qui, par ailleurs, pesaient de moins en moins lourd. En Algérie, le Front islamique du salut commençait à pourrir l'ambiance ; mon frère Abdel Ghany, l'autre « fils » de Belkacem et d'Amina, en a profité pour faire son retour à la case Beaugrenelle. Il n'avait pas de papiers, il avait besoin de gagner sa vie : je l'ai embauché au Trocadéro. Là, j'ai découvert qu'un type prénommé Moktar s'était permis de prendre ma place. Je l'ai dépouillé avec l'aide de quelques alliés fidèles, histoire de lui faire comprendre qu'il devait dégager fissa. Moktar est allé coincer mon frère et l'a utilisé pour m'impressionner. Toujours aussi frileux, Abdel Ghany m'a prévenu : soit je cédais le terrain, soit on lui ferait la peau, à lui, mon gentil frangin ! Il n'était pas rentré à Paris pour ça... J'ai pensé à mon film préféré, *Il était une fois dans l'Ouest* : intimider, pas assassiner... J'ai choisi dans le réseau de potes l'Africain le plus grand, le plus costaud – et le mieux armé –, Jean-Michel. Ensemble, nous sommes allés rendre visite à mon rival. Ce dernier était entouré d'une dizaine de ses sbires, dont certains avaient travaillé pour moi par le passé, et d'une jolie brunette.

— Alors Abdel, tu viens nous voir comme ça, tout seul ? Tu es suicidaire ou tu es juste fou ?

— Je suis pas tout seul, regarde !

Jean-Michel a sorti son pistolet à grenaille, les sous-fifres se sont évanouis dans la nature, pas la fille, excitée par la curiosité. On a mis le Moktar en caleçon, on l'a laissé tremblant de peur et de froid au beau milieu du parvis des Droits de l'homme. Je vous parle d'un temps où les braves gens changeaient calmement de rame quand une bagarre éclatait dans le métro. Là, au pied du Palais de Chaillot, ils se sont écartés de la même façon, à peine étonnés par le spectacle. La copine nous a suivis. On n'a jamais revu Moktar.

Je venais de sortir de prison, j'étais majeur, responsable devant la loi de tous mes faits et gestes. Pour la première fois de ma vie, il n'y avait plus de juge, ni d'éducateur, ni de profs, ni de parents. Plus d'adulte prêt à me tendre la main et à me fourrer ses bons conseils dans les oreilles. Si j'avais voulu devenir un nouvel Abdel après mon séjour à Fleury-Mérogis, j'aurais certainement trouvé quelqu'un pour m'aider. Il aurait suffi que je demande. Belkacem et Amina ne m'avaient pas tourné le dos : quand ils venaient me voir au parloir, juste avant ma libération, ils me faisaient la morale, ils se conduisaient exactement comme des parents doivent se conduire quand leur fils a dérapé. J'attendais que leur discours s'épuise... J'étais toujours aussi inconscient.

Mes héros s'en sortaient toujours. Terminator prenait des coups mais il restait debout. Personne ne pouvait vaincre Rambo. James Bond esquivait les balles, Charles Bronson grimaçait à peine lorsqu'il était touché. Je ne m'identifiais même pas à eux : je voyais plutôt la vie comme dans les dessins animés. On tombe d'une falaise, on s'aplatit au sol comme une crêpe, on se relève. La mort n'existe pas. La souffrance n'existe pas. Au pire, on a une bosse qui pousse sur le front et des chandelles qui tournent autour de la tête. On se remet de tout très vite, on renouvelle les mêmes erreurs.

Je n'ai pas fait autrement. J'ai repris ma place au Trocadéro, je n'ai pas remarqué que les flics me gardaient à l'œil, et cette fois encore, je ne les ai pas vus venir. On y retourne ? Allez, on y retourne.

17

La France est un pays merveilleux. Elle aurait pu baisser les bras, me considérer perdu pour les autres comme pour moi-même et me laisser m'enfoncer dans la délinquance. Elle a choisi de me donner une nouvelle chance de me conduire en garçon honnête. Je l'ai saisie. En apparence au moins. La France est un pays hypocrite. Tant qu'on reste discret, elle permet toutes les fraudes, toutes les arnaques, tous les trafics. La France est un pays complice de ses citoyens les plus crapuleux. J'en ai profité, sans vergogne.

Quelques mois avant la fin de ma peine, un éducateur s'est intéressé à mon cas. Il est venu me voir, très aimable, pour me proposer une autre issue que le vol et les agressions : un métier ! Là où l'école avait échoué, la justice et ses envoyés spéciaux pensaient donc réussir.

— Monsieur Sellou, nous allons vous trouver un stage. À partir du mois prochain, vous quitterez Fleury-Mérogis pour un centre de semi-liberté situé à Corbeil-Essonnes. Vous aurez l'obligation de vous rendre à votre travail tous les jours et de rentrer dormir au centre chaque soir, sauf le week-end où vous pourrez retrouver votre famille. Nous évaluerons votre situation à plusieurs reprises au cours du stage et nous déciderons de la suite à y donner.

Amen. Ce que cet éducateur voulait, je pouvais faire semblant de le vouloir aussi. Mais en pratique, je n'imaginais pas une seconde de me plier au protocole. Il fallait être drôlement naïf, tout de même, pour croire qu'un gamin qui n'avait jamais obéi ni à ses parents, ni à ses professeurs, ni aux flics, puisse penser tout à coup que son salut passait par l'obéissance ! Quels arguments me donnait-on pour que j'y croie, d'ailleurs ? Aucun ! Cela dit, ce blanc-bec en costume-cravate avait raison d'économiser sa salive... J'avais bien écouté son petit discours. J'avais entendu le mot liberté. Il y avait quatre lettres devant, S.E.M.I. ? Celles-là, je les avais oubliées sur-le-champ. J'avais aussi entendu que je dormirais où je voudrais le week-end. Ça signifiait que je quitterais Corbeil-Essonnes le vendredi matin et que je n'y pointerais ensuite que le lundi soir. Quatre jours dans la nature... J'ai signé tout de suite.

Trois semaines après le début du stage – en électricité, comme papa ! –, l'éducateur me convoque.

— Monsieur Sellou, est-ce qu'il y a un problème dans votre formation ?

— Euh, non... Je ne vois pas.

— On me dit pourtant que vous ne vous êtes pas présenté depuis quatre jours.

Je comprends aussitôt. Je ne suis jamais allé voir comment on manipule les câbles, les interrupteurs et les disjoncteurs. C'est un copain que j'ai envoyé à ma place. Même taille, même corpulence : il me ressemble et moi-même je ne me ressemble jamais sur les photos. Le subterfuge est passé tout seul jusqu'à ce que le pote sèche la formation… Il aurait pu me prévenir, quand même ! Il faudra que je règle ça avec lui. En attendant, c'est à l'éducateur que je dois des comptes. Je tente de noyer le poisson.

— En fait, j'aimais pas trop l'ambiance, voyez… C'est déjà pas facile de faire un effort pour se réinsérer, mais quand on commence à entendre des blagues racistes…

— Et qu'est-ce que vous comptez faire, alors ? Si vous ne vous rendez plus au stage, je ne peux pas vous maintenir sous ce régime de semi-liberté. Vous devez retourner à Fleury-Mérogis.

Ouh… Il croit qu'il me fait peur, le blanc-bec ! Il ne sait donc pas que la literie est plus moelleuse à Fleury qu'à Corbeil ! Je remballe ma fierté, j'affiche une mine contrite et je l'implore.

— Laissez-moi une semaine pour trouver un autre stage. S'il vous plaît, monsieur…

— Une semaine, pas un jour de plus.

Eh eh ! Il se prend pour un dur, en plus !

— Une semaine, promis.

Ce qui me gêne, à Corbeil, c'est qu'il n'y a pas la télévision dans les chambres. On arrive le soir à 21 heures au plus tard, on signe un registre devant un surveillant en uniforme à l'air si vif qu'on se croirait chez le gendarme de Saint-Tropez... Le lendemain, les portes s'ouvrent dès l'aube pour permettre aux courageux d'arriver à l'heure au turbin. Entre les deux, il n'y a rien à faire. Que dalle, macache.

J'ai épluché les petites annonces. Une chaîne de pizzerias cherchait des livreurs à domicile. J'avais déjà volé assez de mobylettes et de scooters pour en maîtriser la conduite et j'avais assez couru dans les rues de Paris pour connaître chaque arrondissement comme ma poche. J'ai obtenu le job. Pendant quelques jours, j'ai chargé mes calzone dans le top-case de la pétrolette, j'ai sonné aux portes, enragé en bas des immeubles quand personne ne m'ouvrait, mélangé les codes d'entrée, défendu mes quatre-fromages contre des voyous qui refusaient de payer, offert des margheritas aux SDF du coin. Je me suis fait délivrer une attestation que j'ai glissée avec un sourire d'ange à l'éducateur d'orientation.

— Bravo monsieur Sellou. Je vous encourage à persévérer.

— Pas de problème. J'ai même décidé de passer aux choses sérieuses.

Il est tout étonné.

— Que voulez-vous dire, monsieur Sellou ?

— Ben... Je veux dire que j'ai de l'ambition. Que je ne compte pas rester livreur toute ma vie. J'ai déjà commencé à aider le manager au magasin.

— Alors bonne chance. Du fond du cœur, bonne chance.

Il ne se doute pas que je vais aller loin, très loin.

18

J'ai joué à l'employé modèle pour gagner la confiance de la direction. On m'a montré comment fonctionnait l'ensemble de la chaîne, de la réception de la commande et son acheminement chez le client jusqu'à la transmission des résultats, chaque soir, après la fermeture de la caisse. Je suis rapidement monté en grade au sein du premier magasin qui m'avait embauché. J'ai bien observé et j'ai noté les failles dans le système : malgré les apparences et la prétendue leçon de la prison, le P'tit Abdel n'avait pas changé. Il cherchait juste un nouveau moyen de faire des affaires.

Après avoir été repris au Trocadéro, j'avais compris qu'il fallait envisager un nouveau business. Paris avait changé depuis le milieu des années quatre-vingt et mes débuts dans le trafic de montres et de caméras. La sécurité avait été renforcée pour permettre aux touristes de profiter plus sereinement de leur séjour, et la police, même si elle y avait mis le temps, s'était adaptée aux filous de mon espèce. Le ton commençait à durcir entre les trafiquants qui en voulaient toujours plus. La drogue devenait la façon la plus efficace de gagner beaucoup d'argent. Les réseaux suscitaient toutes les convoitises, les armes faisaient leur apparition. On n'en était pas encore à voir des types balader des Kalachnikovs comme de vulgaires toutous dans les cités, ce qui est devenu courant aujourd'hui, mais les gangs se formaient peu à peu et cherchaient par tous les moyens à impressionner les autres. Il fallait défendre son territoire. Les Maghrébins ne frayaient déjà plus aussi naturellement avec les Noirs. La montée du FIS en Algérie faisait peur aux Français. Les journaux rapportaient des actes barbares, on s'est mis à nous regarder d'un sale œil et presque à nous traiter de sauvages. Vraiment, je devais trouver fissa une nouvelle orientation.

⁂

À Corbeil-Essonnes, j'ai rencontré un toxico en semi-liberté lui aussi. Il a volé une Citroën AX pour aller au boulot. Pendant deux ou trois semaines, il me dépose à l'entrée de Paris chaque matin. Puis il disparaît en même temps que la voiture. Je reprends le RER. Je me retrouve à la place des travailleurs honnêtes qui me regardaient dormir, allongé sur la banquette, il y a deux ans à peine.

Dans sa boutique du Quartier latin, Jean-Marc, le manager, ne sait plus quoi faire. Ses livreurs rentrent souvent à pied, les poches vides. Ils ont été dépouillés en bas d'un immeuble, assurent-ils. Ils ont plutôt revendu la mobylette, souvent contre du shit, gardé la recette pour eux et partagé les pizzas avec des potes. Comment le prouver ? Jean-Marc n'est pas dupe, mais il n'a pas les moyens de réagir. On ne vire pas un livreur parce qu'il a été victime d'une agression. On ne porte pas plainte contre lui parce qu'on ne le croit pas. Jean-Marc pousse de profonds soupirs et demande au siège de la boîte de lui envoyer au plus vite un nouveau deux-roues. Je ne participe pas aux manœuvres minables du reste de l'équipe, je ne dis rien, mais ça ne peut plus durer : j'ai élaboré un plan de reconversion et la présence de ces petits cadors de la fauche m'empêche de le mettre en pratique. Je parle au manager.

— Jean-Marc, tes mecs, là, ils te prennent pour un con.

— Je sais Abdel, mais je suis coincé !

— Écoute, c'est très simple. Il est 10 heures. Tu les appelles, un par un, tu leur dis que tu n'as pas besoin d'eux aujourd'hui. Pareil demain et après-demain. Et dans trois jours, tu leur envoies une lettre de licenciement pour défaut de présentation, ou quelque chose dans le genre.

— D'accord, mais qui va faire les livraisons pendant ce temps ?

— Je me charge de te trouver du monde.

Si les policiers manquent parfois d'efficacité contre les voyous, c'est qu'ils n'emploient pas les mêmes méthodes qu'eux. Ils n'anticipent pas le vice, ils ne voient pas les coups arriver, les moyens sont inégaux. Moi, je suis armé pour faire face aux filous. Normal : je suis comme eux ! Ils ont grandi à La Chapelle, à Saint-Denis, à Villiers-le-Bel, à Mantes-la-Jolie, qu'importe. On est allés à la même école, celle de la cité.

J'ai su faire le ménage. Comme par magie, les livreurs ne déplorent plus aucune agression, la recette revient intacte tous les soirs. Elle est livrée par Yacine, par Brahim et par quelques autres de mes futurs complices. Ils jouent déjà le jeu eux aussi, ils se conduisent comme il faut pendant quelques semaines. Ils savent qu'ils peuvent me faire confiance pour améliorer bientôt leur ordinaire. En attendant, ils se goinfrent de pizzas à l'œil, et ils sont déjà très contents !

Il y avait une série que j'aimais bien quand j'étais gamin : *Agence tous risques*. Dans le coup de la pizzeria, je suis à la fois Futé, le beau gosse à qui tout réussit, et Hannibal, celui qui clôt chaque épisode sur cette phrase devenue culte : « J'adore quand un plan se déroule sans accroc. » Je commence à remplacer Jean-Marc pendant ses congés. Et quand la direction fait appel à lui pour tenir une autre boutique, je prends sa place, avec les félicitations de tous. La voie est libre.

En 1991, la comptabilité se fait encore sur papier, à la main. Dans ma petite pizzeria, on utilise ce qu'on appelle des masters, c'est-à-dire des souches de feuilles numérotées et doublées. On insère un carbone et l'on obtient ainsi une copie de la commande. Un exemplaire fait office de facture pour le client, le deuxième remonte au siège qui sait ainsi précisément ce qui a été vendu, et donc quelle recette chaque magasin est censé rapporter.

Mon plan est tout simple : vendre des pizzas non déclarées. Quand le client téléphone pour se faire livrer deux ou trois galettes, il suffit de lui demander s'il veut une facture. Dans le cas où il s'agit d'une petite famille ou de deux ou trois étudiants, on ne demande même pas. Dans le cas où la livraison se fait dans une entreprise, on fournit systématiquement le justificatif. Le soir venu, je glisse les copies carbones des factures dans l'enveloppe destinée à la direction ainsi que la recette correspondante. Le reste est pour nous.

Bien sûr, il faut aussi justifier de l'utilisation des matières premières. Rien de plus simple : chaque matin, quand un livreur apporte les pâtons, les caisses de jambon et les litres de coulis de tomate, je lui offre un café. Pendant ce temps, Yacine et Brahim piquent discrètement dans le camion de quoi fabriquer nos pizzas fantômes. Autre méthode qui fait ses preuves : les fausses commandes, que je note toutes sur les masters évidemment. J'imagine par exemple qu'un petit farceur nommé Jean-Marie Dupont de Saint-Martin téléphone pour se faire concocter une dizaine de pizzas géantes en tout genre. Sauf qu'à l'adresse indiquée, mon malheureux coursier tombe sur un cabinet dentaire où personne n'a rien demandé. Évidemment, on ne s'est pas déplacé et les pizzas n'ont pas été fabriquées. Sauf pour la direction qui, après avoir reçu mon rapport, les glisse naïvement dans la colonne des pertes.

⁂

Deux types sont venus me voir à la boutique.

— On a une affaire à te proposer : on a un commerce vide dans le coin. On achète un four à pizza, une mobylette, on embauche un coursier.

Toi, quand tu reçois des appels ici, tu nous les renvoies et on assure la livraison. On partage, cinquante-cinquante.

Ils ont investi une petite fortune dans le matériel, déposé les statuts de l'entreprise au registre du commerce, j'ai mis une copine au standard, on s'est lancés. Très vite, on a fait un sacré chiffre, et puis soudain, il a ralenti. M'est alors venue l'idée de taper le nom de la boîte sur le Minitel. J'ai découvert qu'ils avaient ouvert un deuxième magasin, sans m'en parler. J'avais les clés du premier. J'y suis allé une nuit, j'ai démonté le four, un Baker-Sprite à trente mille francs, j'ai embarqué les bécanes, j'ai tout revendu en pièces détachées. Mes associés ne pouvaient rien contre moi : nous n'avions signé aucun contrat, mon nom ne figurait nulle part. Ils ont coulé aussitôt ; cette histoire ne m'a même pas fait marrer.

Les copains et moi, nous étions contents de nous. Il nous en fallait peu. La catégorie des petits joueurs nous convenait très bien. On ne cherchait pas à amasser des millions, on ne se croyait pas tellement plus malins que les autres, on s'amusait juste des blagues pas trop méchantes qu'on jouait à la société. Dans notre petite troupe, personne ne buvait, personne ne se droguait. On ne s'encombrait pas de bagages inutiles. Surtout, on savait tous qu'on n'aurait jamais tué pour de l'argent et qu'on ne voulait pas entrer dans la catégorie des vrais durs. On cherchait le plaisir sous toutes ses formes. On se faisait des copines parmi les clientes. Après la fermeture de la boutique, on débarquait chez les étudiantes pour le deuxième service. Entre mecs, on se livrait une petite compétition : c'était à celui qui emballerait la plus belle. Il faisait chaud dans les chambres de bonnes. Brahim avait sa technique : il faisait croire qu'il avait des dons de voyance et prédisait aux filles qu'elles échoueraient à leurs examens de fin d'année, hélas. Il espérait les consoler. Son stratagème ne fonctionnait pas toujours. Les oiseaux de mauvais augure n'ont pas la cote auprès des intellos. Moi, je les faisais rigoler. On connaît le dicton qui se rapporte à la femme qui rit.

Je me levais difficilement le matin et je me trouvais bien bête de me faire violence pour continuer quand même. C'est fatigant de travailler. Qu'on utilise des moyens légaux ou non, c'est fatigant. Je commençais à en avoir assez. J'avais peur de finir par ressembler aux honnêtes gens que je prenais pour des imbéciles complets. En plus, la chaîne de pizzerias a commencé à équiper chaque magasin d'ordinateurs. Terminé le trafic de bons de commande. J'ai demandé à être licencié. Je suis parti pointer à l'ANPE avec mon attestation de travail. Sans produire le moindre effort, j'allais pouvoir toucher pendant deux ans une somme presque équivalente à mon salaire officiel. Je n'avais aucun scrupule à profiter du système.

À cette période de ma vie, j'étais comme Driss, mon personnage dans le film *Intouchables*. Insouciant, joyeux, paresseux, vaniteux, explosif. Mais pas vraiment méchant.

III

Philippe et Béatrice Pozzo di Borgo

19

Servir des hamburgers. Porter des palettes du camion à l'entrepôt, de l'entrepôt au camion. Recommencer. Remplir un réservoir d'essence, rendre la monnaie, empocher son pourboire. Quand il y en a un. Veiller sur un parking désert, la nuit. D'abord résister au sommeil. Puis dormir. Constater que le résultat est le même. Enregistrer des codes-barres dans un ordinateur. Fleurir des ronds-points. Au printemps, remplacer les pensées par les géraniums. Tailler les lilas aussitôt après la floraison... J'ai essayé des tas de petits boulots pendant trois ans. Curieusement, je n'ai vu naître en moi aucune vocation. Je me rendais aux convocations de l'ANPE de la même façon que j'étais allé voir le juge entre mes seize et mes dix-huit ans. Se montrer docile et obéissant était la condition indispensable pour percevoir ses allocations chômage. De temps à autre, il fallait fournir un geste supplémentaire. La preuve de sa bonne volonté. Rien de bien méchant. Servir des hamburgers, donc... Insérer la tranche de viande entre les deux morceaux de pain. Presser le distributeur de mayonnaise. Ne pas trop forcer sur la moutarde. Je rendais vite mon tablier. Je m'octroyais une barquette de frites format familial, j'arrosais les patates d'une louche de ketchup et je partais en adressant un large sourire à toute l'équipe. Ils puaient tous le graillon. Très peu pour moi.

J'étais censé chercher un emploi. Je cherchais peu et volontairement mal, ça me laissait pas mal de temps libre. Le jour, la nuit, je continuais de faire la fête avec les copains qui partageaient mon mode de vie... aléatoire. Ils bossaient quatre mois, le minimum pour prétendre à une indemnisation ; ensuite, ils pointaient à l'ANPE et vivotaient gentiment pendant un an ou deux. Ni eux ni moi ne faisions plus rien de répréhensible, ou si peu. Il nous arrivait bien de nous inviter sur un chantier, la nuit, pour faire mumuse avec un tractopelle, ou d'organiser des rodéos à scooter dans le bois de Boulogne, mais rien de nature à troubler la tranquillité du citoyen. On allait au cinéma. On passait par la sortie de secours, on quittait la salle avant le générique de fin. J'étais presque devenu un type bien. La preuve, un jour, j'ai cédé ma place à une jolie maman qui accompagnait son fiston pour voir *RoboCop 3*. Le gamin portait de belles baskets montantes, en cuir, à l'américaine, il avait de grands panards pour son âge, les pompes me faisaient envie. J'ai failli lui demander où il les avait achetées. Je n'ai même pas eu l'idée de les prendre, tout simplement. Je me suis un peu inquiété, sur le coup : *Alors quoi, Abdel, t'as pris un coup de vieux, on dirait ?* Je me suis raisonné aussitôt : ces baskets, je n'en avais pas vraiment besoin...

Je recevais les convocations de l'ANPE chez mes parents. Je trouvais le courrier en équilibre sur le radiateur de l'entrée, là où, quelques années auparavant, attendaient les lettres d'Algérie. La communication était rompue depuis longtemps entre mon pays d'origine et moi. Elle fonctionnait mal avec Belkacem à cause du contexte politique à Alger. Quand il regardait les informations, mon père haussait les épaules, sûr que les journalistes en rajoutaient dans le côté dramatique de la situation. Il ne croyait pas que les intellectuels étaient muselés, il ne croyait pas aux tortures, aux disparitions. Il ne savait même pas qu'il y avait des intellectuels, là-bas. D'ailleurs, un intellectuel, qu'est-ce que c'est ? Quelqu'un qui réfléchit bien ? Un professeur ? Un docteur ? Et pourquoi on tuerait un docteur, d'abord ? Belkacem et Amina éteignaient le poste.

— Abdel, tu as vu ? Tu as reçu une lettre de l'ANPE !

— J'ai vu, maman, j'ai vu...

— Et alors ? Tu l'ouvres pas ?

— Demain, maman, demain...

⁂

Il y a une seule enveloppe, mais deux convocations différentes sur le radiateur. L'une d'elles m'encourage à me rendre à Garges-lès-Gonesse où, si la chance me sourit, je deviendrai vigile dans une supérette. Je ne comprends pas. Garges-lès-Gonesse, c'est une nouvelle station de métro ? Ils l'ont creusée pendant mon séjour à Fleury ? Non, je vois, c'est écrit là, en petits caractères et entre parenthèses : Garges-lès-Gonesse dans le 95. Il doit y avoir une erreur. J'ai bien précisé à l'agence pour l'emploi que mes recherches avaient une limite territoriale appelée périphérique. Je fourre le papier en boule dans ma poche et je vérifie illico l'adresse écrite sur l'autre feuille : avenue Léopold-II, Paris XVIe. Eh ben voilà ! C'est beaucoup mieux, ça ! Le quartier du vieux Léo, je le connais par cœur. *Suivez le guide. Accessible par deux stations de la ligne 9 du métropolitain, Jasmin et Ranelagh, il abrite des hôtels particuliers et des immeubles grand style, n'est-ce pas…* Les gens n'habitent pas des appartements mais des coffres-forts. On peut entrer à douze dans un cabinet de toilette, chaque chambre est équipée d'une salle de bain attenante, les tapis sont aussi moelleux que les canapés. Dans ce quartier relativement dépourvu de commerces, on trouve des petites vieilles en manteau de fourrure qui se font livrer leur déjeuner à domicile par les plus fins traiteurs. Je le sais parce que Yacine et moi nous sommes amusés, autrefois, à intercepter les livreurs (qui étaient quelquefois les petites vieilles elles-mêmes, nous leur proposions aimablement de porter leurs paquets et nous partions avec en trottinant). Nous avions l'intention très louable de créer un guide gastronomique mais, avant d'en arriver là, il fallait bien goûter ! Nous avons testé du Fauchon, du Hédiard, du Lenôtre et même des œufs de poisson de je ne sais plus quelle maison soi-disant renommée. Qu'on ne nous prenne pas pour les billes que nous n'étions pas : nous savions que le ramequin se vendait à prix d'or et qu'il contenait du caviar. « Caviâââr », comme disaient les autochtones. Franchement, c'était dégueulasse.

En route pour l'avenue Léopold-II, donc... Je ne regarde même pas pour quel boulot on m'encourage à postuler : je sais déjà que ce sera non. J'ai seulement l'intention de faire signer la convocation et de pouvoir prouver que je me suis bien présenté à l'adresse indiquée. Je la renverrai à l'ANPE en disant que non, hélas, cette fois encore on n'a pas voulu de moi. La vie est dure pour les jeunes des cités, quand même...

⁂

Je suis debout devant la porte. Je recule. J'avance à nouveau. Je pose la main sur le bois, avec précaution, comme si j'allais me brûler. Quelque chose ne colle pas. On dirait l'entrée d'un château fort. *Baissez le pont-levis* ! Dans une minute, je vais entendre une voix à travers la muraille. Elle me dira : « Oh là, manant, passe ton chemin ! Notre seigneur ne fait pas l'aumône. Déguerpis avant que je te jette aux crocodiles ! »

Dernière nouvelle : Abdel Yamine Sellou se lance dans le cinéma. Il reprend le rôle de Jacquouille la Fripouille dans *Les Visiteurs 2*. Je cherche les caméras dans les fourrés, derrière les voitures garées au bord de la chaussée, dans le dos de la contractuelle qui fait sa tournée. Je me marre tout seul de mon délire. J'ai l'air d'un vrai fada, là, sur le trottoir... *C'est bon Abdel, calme-toi.* Quand même, je réalise tout à coup que je n'aurais peut-être pas dû jeter l'autre convocation, celle pour Garges-lès-Gonesse. Il faudrait que je rapporte au moins une signature à l'ANPE... Je vérifie le nom de la rue. C'est bien ça. Je vérifie ensuite le numéro dans la rue. C'est bon aussi, théoriquement. Pourtant, il y a quelque chose qui cloche. À moins que... Non ! Ils n'ont quand même pas osé m'envoyer chez des bourges pour faire le ménage !

Je reviens à nouveau à la convocation et je lis l'intitulé de l'emploi : « Auxiliaire de vie auprès d'une personne tétraplégique. » Qu'est-ce que ça peut vouloir dire, « auxiliaire de vie » ? Je me souviens qu'on parlait de l'auxiliaire *être* et de l'auxiliaire *avoir* à l'école. Auxiliaire de vie, ça regrouperait les deux ? Il s'agirait d'être et d'avoir ? Curieux, comme formulation. On m'aurait aiguillé sur une secte ? Je me vois déjà assis en lotus sur un tapis de clous, méditant sur mon parcours et mon salut... Et tétraplégique ? Je n'ai jamais rencontré ce mot. Ça me fait penser à têtard, à tartare, comme le steak, à magique, à logique. Mais il n'y a rien de logique là-dedans.

Je touche encore le bois de la porte, j'ai besoin de le sentir pour y croire. Je suis tout petit à côté. On en passerait trois comme moi en hauteur, et vingt-cinq au moins dans le sens de la largeur ! Je lève un peu le nez, j'aperçois un bouton minuscule incrusté dans la pierre et une grille de quelques centimètres carrés. Un interphone qui veut passer incognito. J'appuie, j'entends un clic, puis rien. J'appuie de nouveau. Je parle au mur.

— L'annonce pour le travail, l'auxiliaire et tout ça, c'est bien là ?

— Entrez monsieur !

Un autre clic. Mais l'immense porte cochère ne bouge pas. Je suis censé passer à travers ou quoi ? J'appelle encore.

— Ou-iii ?

— Casper le fantôme, vous connaissez ?

— Euh...

— Ben c'est pas moi ! Allez, faut m'ouvrir, maintenant !

Clic. Clic. Clic. Enfin, je viens de comprendre. Comme dans tout château qui se respecte, il y a un passage secret... Et je le trouve ! Une porte de taille humaine se distingue à peine dans l'autre, colossale. Je fais un pas en avant, je râle. C'est bon, l'entretien n'a pas encore commencé que je suis déjà énervé. Pas question de m'éterniser. Il va falloir qu'il me signe mon papier dare-dare, le gourou du Moyen Âge !

20

Ce qui était louche à l'extérieur l'était aussi à l'intérieur. J'ai passé la porte, je suis entré dans un désert. Un hall pareil, à Beaugrenelle, aurait servi de salle de jeux pour toute la cité. Là, rien, personne. Pas un seul mec pour tenir le mur, pas un pour se rouler un chichon. La gardienne de l'immeuble a surgi de sa loge.

— C'est pour quoi ?

— Euh… Pour le tapar… Pour le tera… Pour le tartapégique ?

Elle me regarde d'un œil torve et, sans ajouter un mot, m'indique de l'index la porte du fond. *Ding dong*, encore un déclic, mais cette fois le battant cède tout seul. Je referme derrière moi. Les hallucinations continuent. Quelqu'un se paye ma tête, je suis la victime d'un sketch en caméra cachée, Laurent Baffie va débarquer et me donner une claque sur l'épaule.

Il m'apparaît tout à coup que je n'arrive pas au siège d'une entreprise mais chez un particulier très particulier… L'entrée de l'appartement doit bien faire quarante mètres carrés. Elle donne sur deux pièces : à droite, un bureau où j'aperçois une femme et un homme, tous les deux assis, en train de discuter avec un candidat certainement, et à gauche un salon. Enfin, j'appelle ça un salon parce qu'il y a des canapés. Il y a aussi des tables, des commodes, des chaises, des coffres, des consoles, des miroirs, des tableaux, des sculptures... Et même des enfants. Ils sont deux, tout beaux tout propres, du genre que je n'appréciais pas trop quand on partageait les bancs de l'école. Une femme passe avec un plateau. Des types sont assis, mal à l'aise, en costume bon marché, une pochette cartonnée sur les genoux. Moi, j'ai mon enveloppe toute chiffonnée dans les mains, je porte un jean délavé et un blouson qui en a vu. J'ai tout l'air du galérien de banlieue qui vient de dormir huit jours dehors. Pourtant non, hier j'ai dormi chez maman. J'ai mon air habituel, en fait. Débraillé, je m'en-foutiste, asocial.

Une blonde s'avance vers moi et m'invite à attendre avec les autres gus. Je m'assieds autour d'une table immense. Quand je pose mon doigt sur le bois, l'empreinte s'imprime puis s'efface au bout de quelques secondes. Je scanne le décor. Puisque je suis là, autant profiter de l'occasion pour faire des repérages qui pourraient se révéler utiles. Mais je suis rapidement déçu : pas de télé, pas de magnétoscope, même pas un téléphone sans fil. Peut-être là-bas, dans le bureau ? Je m'enfonce un peu plus dans mon siège, je cale mon poing sous mon menton et je commence à somnoler.

Toutes les sept-huit minutes, la blonde réapparaît et demande sèchement au suivant de la suivre.

Chaque fois, les types se regardent, ils hésitent, frileux. J'ai l'estomac qui gargouille et j'ai prévu de retrouver Brahim pour casser la croûte, j'interromps les salamalecs en levant la paume de la main vers les candidats indécis :

— J'en ai pour deux secondes.

Je file vers le bureau, la blonde sur mes talons, je déplie le papier de l'ANPE et je le pose directement sur le bureau derrière lequel la fille hésite à se rasseoir.

— Bonjour, vous pouvez signer là s'il vous plaît ?

J'ai appris à être poli, ça fait gagner du temps. On dirait qu'ils ont peur de moi. Ni la secrétaire ni le mec assis à côté d'elle ne bouge un cil. Lui ne se lève pas pour me dire bonjour mais je ne suis pas choqué par son manque de courtoisie : j'ai déjà passé des entretiens face à des types condescendants qui me traitaient comme un chien. C'est la routine.

— Relax, c'est pas un hold-up ! Je voudrais juste une signature, là.

Et je montre le bas de la feuille. L'homme sourit, il me regarde en silence, il est marrant avec son petit foulard en soie assorti à la pochette de son veston prince-de-galles. La fille me questionne.

— Pourquoi avez-vous besoin d'une signature ?

— Pour le chômage.

Je suis brutal, exprès. Mademoiselle et moi ne sommes pas du même monde, c'est évident. L'autre se lance enfin.

— J'ai besoin de quelqu'un pour m'accompagner partout où je dois aller, y compris en voyage... Ça vous intéresse, les voyages ?

— Comment ça ? Vous cherchez un chauffeur ?

— Un peu plus qu'un chauffeur…

— Mais c'est quoi, plus qu'un chauffeur ?

— Un accompagnateur. Un auxiliaire de vie. Ce doit être écrit sur votre feuille, non ?

Le délire continue. Je ne comprends rien à ce qu'il me dit. Je me trouve face à un homme d'une quarantaine d'années, blindé de fric, entouré d'une armée d'assistantes en jupe plissée, j'imagine que les marmots aperçus dans le salon sont à lui et qu'il a aussi une belle petite épouse, du même coup. Pourquoi aurait-il besoin de quelqu'un pour lui tenir la main en voyage ? En fait, je ne vois pas encore le problème et je n'ai pas envie de m'attarder pour le voir. Mais j'ai produit de gros efforts pour me déplacer jusqu'ici, j'ai épuisé toute mon intelligence pour pénétrer les lieux et obtenir cette fichue signature, je ne partirai pas sans.

— Écoutez, j'accompagne déjà pas ma mère pour aller faire les courses… Allez, signez là, s'il vous plaît.

La secrétaire soupire, pas lui. Il a l'air de s'amuser de plus en plus et il prend tout son temps. On se croirait dans *Le Parrain* quand le grand patron explique la vie aux jeunes caïds qui voudraient piquer sa place. Il leur parle tranquillement, sur un ton presque paternel, avec une patience infinie. « Écoute, petit… » C'est ça… Le locataire de ce palais est un parrain. Don Vito Corleone se tient là, assis face à moi, il m'explique les choses calmement, il me donne une leçon. Ne manquent que l'assiette de nouilles et la serviette à carreaux autour de son cou.

— J'ai un problème : je ne peux pas bouger tout seul de ce fauteuil. D'ailleurs, je ne peux rien faire tout seul. Mais comme vous le voyez, je suis déjà bien entouré. Il me faut seulement un garçon costaud comme vous pour me conduire là où je souhaite aller. Le salaire est intéressant et je vous propose en plus un logement indépendant dans l'immeuble.

Là, j'hésite... Mais pas longtemps.

— Franchement, j'ai le permis, mais j'y connais rien... Tout ce que j'ai conduit jusque-là, c'est des mobylettes avec des pizzas dans le top-case. Signez-moi ce papier et voyez plutôt avec les autres qui attendent dans le salon. Je crois pas que je suis la bonne personne pour vous.

— L'appartement, ça ne vous intéresse pas ?

Il appuie sur la corde sensible. Il voit un vagabond, un petit Arabe qui n'obtiendrait jamais un bail dans un quartier pareil, un jeune mec dépourvu de la moindre ambition, une cause désespérée. Et encore, il ne sait pas que j'ai fait de la prison... Don Vito Corleone a du cœur. Il n'a plus de jambes et plus de bras, ça ne me secoue pas. Du cœur, moi, je n'en ai pas, ni pour les autres ni pour moi-même. Je ne me vois pas comme on me voit. Je suis très content de mon sort. J'ai compris que je n'aurai jamais tout, quoi que je fasse, alors j'ai renoncé à tenter d'avoir plus. L'employé de banque tremble pour sa montre à quartz, le touriste américain tremble pour son caméscope, le prof tremble pour sa R5, le médecin tremble pour son pavillon de banlieue... Quand ils se font braquer, ils sont tellement peureux qu'ils vous tendent les clés du coffre au lieu de se défendre ! Moi, je ne veux pas trembler. La vie n'est qu'une vaste arnaque, je ne possède rien, tout m'est égal.

— Je ne signe pas votre papier. On fait un essai. Si ça vous plaît, vous restez.

Seul cet homme ne tremble pas. Il a déjà tout perdu. Il peut encore tout s'offrir, c'est évident, sauf l'essentiel : la liberté. Il sourit quand même. Je sens un truc bizarre monter en moi. Quelque chose de nouveau. Quelque chose qui m'arrête. Qui me pose là. Qui me cloue le bec. Je suis étonné, voilà, c'est ça. J'ai vingt-quatre ans, j'ai déjà tout vu, tout compris, je me fous royalement de tout, et pour la première fois de ma vie, je suis étonné. Allez, qu'est-ce que je risque à lui prêter mes bras ? Un jour ou deux, juste le temps de comprendre à qui j'ai affaire…

Je suis resté dix ans. Il y a eu des départs, des retours, des périodes de doute aussi où je n'étais ni vraiment là ni vraiment ailleurs, mais en tout, je suis resté dix ans. Pourtant, toutes les raisons étaient réunies pour que ça se passe mal entre le comte Philippe Pozzo di Borgo et moi. Il était issu d'une lignée d'aristocrates, mes parents ne possédaient rien ; il avait reçu la meilleure éducation possible, je m'étais arrêté en cinquième ; il parlait comme Victor Hugo, je frappais direct. Il était enfermé dans son corps, j'agitais le mien partout sans réfléchir. Les médecins, les infirmières, les aides soignantes, toutes les personnes qui l'entouraient me regardaient d'un sale œil. Pour eux qui avaient fait du dévouement aux autres un métier, j'étais le profiteur, le voleur, une source de problèmes, forcément. Je m'étais engouffré dans la vie de cet homme sans défense comme le loup dans la bergerie. J'avais les crocs. Je n'apporterais rien de bon, aucune chance. Tous les indicateurs étaient au rouge. Ça ne pouvait que mal tourner entre nous.

Dix ans. C'est dingue, non ?

21

Le logement de fonction me convenait. On pouvait y accéder de deux façons : soit depuis l'appartement de Pozzo en passant par le jardin, soit par le parking de l'immeuble. J'étais donc indépendant. Je pouvais entrer et sortir – sortir, surtout – sans être vu. Murs lissés blancs, petite douche, kitchenette, fenêtre sur jardin, un bon sommier, un bon matelas : je n'exigeais rien de plus. Je n'exigeais d'ailleurs rien du tout puisque je n'avais pas l'intention de rester. En me tendant la clé, la secrétaire m'a prévenu :

— Monsieur Pozzo di Borgo a décidé de faire faire un essai à autre candidat également. Pour l'instant, c'est vous qui bénéficiez de ce studio. Mais si vous devez partir, vous serez gentil de lui céder les lieux dans l'état où vous les avez trouvés.

— C'est ça, oui, je serai gentil…

Il va falloir qu'elle apprenne à me parler sur un autre ton, la blonde, ou on ne va pas s'entendre.

— Rendez-vous en bas demain à 8 heures pour les soins.

Elle a déjà dévalé deux étages quand je réagis. Je hurle par-dessus la rambarde.

— Les soins ? Quels soins ? Eh ! Je suis pas infirmière, moi !

⁂

Dès le réveil, le ventre creux, le pli du drap encore imprimé sur la joue, les chaussettes de la veille aux pieds, je découvre ce qu'est un tétraplégique : un mort avec une tête qui fonctionne. Il m'interroge.

— Ça va, Abdel, vous avez bien dormi ?

Un pantin qui parle. On ne me demande pas d'y toucher, pour l'instant. Babette, une mama antillaise d'un mètre vingt, que des seins et des muscles, s'en occupe avec précision et énergie. Elle actionne ce qu'elle appelle « la machine à transfert ». Il faut quarante-cinq minutes pour faire passer le corps du lit au fauteuil spécial douche, en plastique et en métal, avec des trous partout. Puis il en faut encore autant, après avoir séché et habillé le bonhomme, pour le transférer vers le fauteuil de jour. À Fleury, un soir, j'ai regardé un ballet de danse contemporaine à la télé. C'était aussi long et aussi chiant.

Le pantin motive ses troupes.

— Allez Babette, retournez le Pozzo !

Le Pozzo. La chose. L'animal. Le jouet. La poupée. J'assiste à la scène sans bouger le petit doigt. Aussi pétrifié que lui. Je complète encore mon inventaire de l'humanité. Mais ce type-là demande une case à part, parmi les cas vraiment très particuliers. Il m'observe en train de l'observer. Il ne me lâche pas du regard. Ses yeux sourient et, parfois, sa bouche aussi.

— Abdel, on va prendre le petit déjeuner au café, après ?

— Quand vous voulez.

Je croise mon reflet dans le miroir de la salle de bains. J'ai ma tête des grands jours. Fermée à double tour. On me croise, on change de trottoir. Le Pozzo se marre.

⁂

On s'installe en terrasse, sous le brasero. Je siffle mon Coca sans rien dire, j'attends la prochaine étape.

— Abdel, pouvez-vous m'aider à boire mon café s'il vous plaît ?

J'imagine un héros de dessin animé, Super-Tétra. Il regarde sa tasse, elle monte en lévitation jusqu'à sa bouche, il entrouvre les lèvres, elle s'incline. Il souffle un coup rapide, magie-magie, le liquide est juste à la bonne température. Non, les gamins ne vont pas aimer. Pas assez d'action. Je remballe mon idée et j'attrape moi-même le café. Mais je me ravise aussitôt.

— Un sucre ?

— Non merci. Une cigarette en revanche.

— Non je fume pas.

— Moi si ! Et vous pouvez m'en donner une !

Il rit. J'ai vraiment l'air d'un couillon. Heureusement que je ne connais personne dans le coin… Je pose le filtre entre ses lèvres, j'actionne le Zippo.

— Pour les cendres, on fait comment ?

— Ne vous en faites pas, Abdel, je gère… Passez-moi le journal, je vous prie.

Apparemment, le *Herald Tribune* fait partie du rituel matinal puisque la blonde me l'a glissé dans les mains sans qu'il le demande avant de partir. Je le pose sur la table. Je bois une gorgée de Coca. Tétraman ne dit rien. Il sourit, impassible, comme la veille lors de mon « entretien d'embauche ». Je finis par deviner que quelque chose ne va pas, mais je ne vois pas quoi. Il m'éclaire.

— Le journal, il faudrait l'ouvrir et le poser devant moi de telle sorte que je puisse le lire.

— Ah ben oui ! Bien sûr !

Le nombre de pages, de colonnes et de mots par colonne me fait un peu peur.

— Vous allez vraiment lire tout ça ? Et c'est de l'anglais en plus, ça prend du temps !

— Ne vous inquiétez pas, Abdel. Si nous sommes en retard pour le déjeuner, nous rentrerons en courant.

Il plonge dans sa lecture. De temps en temps, il me demande de tourner la page. Il incline la tête et la cendre de sa cigarette tombe dans le vide, juste à côté de son épaule. Il gère, en effet… Je le regarde comme un extraterrestre. Un corps mort déguisé en corps vivant de bourge du XVIe. Une tête qui fonctionne comme par magie, curiosité d'autant plus étrange que cette tête ne fonctionne pas comme celles que j'ai connues sur d'autres corps en état de marche dans ce milieu. Les bourgeois, je les aime parce que je les dépouille mais je les déteste pour le monde auquel ils appartiennent. Normalement, ils n'ont aucun humour. Philippe Pozzo di Borgo, lui, rit de tout et d'abord de lui-même. J'avais décidé de rester deux-trois jours au maximum. Il m'en faudra peut-être un peu plus pour percer ce mystère.

22

Je dis que Fleury-Mérogis m'a fait l'effet d'une colonie de vacances. J'exagère un chouïa. J'affirme que les surveillants se comportaient comme des mamans avec les détenus, que les violences sexuelles n'existaient pas dans les murs, que les échanges se faisaient sur le mode du troc consenti et non sur celui du racket. Je minimise un peu les aspects négatifs de la prison. Les premiers jours, on m'avait collé dans une cellule avec deux autres types. La promiscuité était la seule chose que je ne pouvais pas endurer. J'acceptais d'être privé de liberté, de manger dans une gamelle métallique comme un chien, d'avoir les toilettes dans ma piaule et les odeurs qui vont avec. À condition que les odeurs soient les miennes.

Ils se sont mis d'accord, mes colocataires, *le petit jeunot, là, on va le mater vite fait*... J'ai aussitôt mis l'administration en garde. Il fallait me séparer d'eux où il y a aurait de la casse dans les osselets. Ils ne m'ont pas écouté ; l'un des mecs est parti faire un tour aux urgences à Ivry. Considérant que je n'avais fait que me défendre contre deux paires de gros bras mal intentionnées, et soucieuse de gommer l'incident au plus vite, la direction m'a attribué une cellule individuelle. À partir de là, les surveillants se comportaient avec moi comme des mamans parce que je me comportais moi-même comme un gentil fiston. Dans la cour, pendant la promenade, je marchais plutôt au milieu, à bonne distance des murs où les toxicos en manque et les dépressifs négociaient leurs médicaments. Le système du Yo-yo permet difficilement l'échange de plaquettes de gélules, trop légères. Les types prenaient donc le risque de faire leur marché dans la cour, ils n'avaient pas vraiment le choix. Une voix jaillissait alors du haut-parleur.

— Le blouson jaune et le blouson bleu, près du pilier, séparez-vous immédiatement !

Dans la prison, des voix jaillissaient de partout, tout le temps. Les cellules étaient bien insonorisées pourtant : il fallait que le voisin pousse le volume de sa télé à fond pour commencer à gêner les autres. Curieusement, les cris des hommes, eux, traversaient tout l'espace. Je dis que les surveillants jouaient les mamans et que les types se respectaient parce que je n'ai rien vu d'autre. Mais j'ai entendu.

J'aime les bruits de la cité Beaugrenelle, ses gamins qui traînent la semelle sur le bitume et sa concierge qui balaie les mégots. Frrrt, frrrt... J'aime les bruits de Paris, les scooters qui pétaradent, le métro qui sort de terre à Bastille, les sifflements des vendeurs à la sauvette, et même les sirènes hurlantes des voitures de police. Chez Philippe Pozzo di Borgo, j'aime le silence. L'appartement donne sur un jardin insoupçonnable de la rue. Je ne savais même pas que ça pouvait exister, comme ça, en plein Paris. Après son café, il actionne du menton le mécanisme de sa voiturette électrique jusqu'à la baie vitrée et il n'en bouge pas pendant au moins une heure. Il lit. Je découvre l'outillage indispensable au tétraplégique cultivé : la tablette de lecture. On y cale le bouquin – un pavé de mille pages sans photo, imprimé en caractères minuscules, une véritable arme d'autodéfense –, une tige de Plexiglas tourne les pages quand monsieur Pozzo le commande d'un mouvement du menton. Rester là fait partie de mon boulot. Il n'y a pas un bruit, je me cale dans un canapé, je dors.

— Abdel ? Eh oh, Abdel !

J'ouvre un œil, je m'étire.

— La literie n'est pas bonne, là-haut ?

— Si, si, mais je suis allé voir des potes hier soir, alors je récupère un peu...

— Pardon de vous déranger mais la machine a tourné deux pages d'un coup.

— Ah ben c'est pas grave, ça. Il vous manque un morceau de l'histoire ? Vous voulez que je vous le raconte ? Ça va vous faire gagner du temps !

Je suis prêt à tout pour m'amuser. Je veux bien être payé pour roupiller, mais à choisir, j'aimerais mieux être payé pour vivre.

— Pourquoi pas ? Abdel, vous avez lu *Les Chemins de la liberté*, de Jean-Paul Sartre ?

— Bien sûr, c'est l'histoire du petit Jean-Paul, hein, c'est ça ? Alors, le petit Jean-Paul, il va faire une promenade, dans la forêt par exemple, il ramasse des champignons, il chante comme ça, un peu comme les Schtroumpfs, la-la, lalalala... et tout à coup, il arrive à un virage. Alors il hésite avant d'avancer, hein, forcément, parce qu'il sait pas ce qu'il y a après le virage, pas vrai ? Et alors il a tort, hein, il a tort, parce qu'il y a quoi derrière le virage, il y a quoi, monsieur Pozzo ?

— Eh bien, je vous le demande, Abdel !

— Il y a la liberté. Voilà. C'est pour ça que ça s'appelle « Les Chemins de la liberté ». Fin du chapitre, point final, on ferme le bouquin maintenant. Allez monsieur Pozzo, on va faire un tour ?

Il a des dents blanches incroyables, ce type. Je les vois bien quand il rit. Blanches ! On dirait le carrelage de ma douche, là-haut.

23

Je ne me souviens pas d'avoir décidé de rester. Ni d'avoir signé un contrat, ni d'avoir dit « *allez, tope là* » à celui qui était devenu, de fait, mon patron. Le lendemain de mon arrivée, après la première séance hallucinante de soins, puis le café avec le *Herald Tribune*, je suis rentré chez moi pour changer de caleçon et prendre une brosse à dents. Ma mère a rigolé.

— Alors mon fils, tu t'installes chez ta copine ? Quand est-ce que tu nous la présentes ?

— Tu vas pas le croire : j'ai trouvé un boulot. Nourri logé ! Chez des riches, en face, de l'autre côté de la Seine !

— Chez des riches ? Mais tu fais pas de bêtises au moins, hein Abdel ?

— Ben ça non plus tu vas pas le croire...

De fait, je pense qu'elle ne m'a pas cru. J'ai filé retrouver Brahim qui travaillait alors au Pied de Chameau, un restaurant oriental branché (oui, Brahim aussi devenait un garçon sage). Je lui ai parlé de Philippe Pozzo di Borgo, de son état, de l'endroit où il habitait. J'en rajoutais à peine.

— Brahim, t'imagines pas : chez ce mec, tu te baisses, tu tires un fil entre les lames du parquet, c'est un billet de banque qui sort.

Je voyais le sigle du dollar qui s'imprimait sur ses pupilles, comme les lingots dans les yeux de l'Oncle Picsou.

— Non Abdel… Tu déconnes ! C'est pas vrai.

— Évidemment c'est pas vrai. Mais j'exagère à peine, je te jure !

— Et le mec, il bouge pas du tout ?

— Que la tête. Le reste est mort. *Dead. Kaput.*

— Mais son cœur, il bat quand même ?

— J'en suis même pas sûr. En fait, je sais pas comment ça marche, un tétraplégique… Enfin si, je sais que ça marche pas !

⁂

Je me souviens mal des premiers jours rue Léopold-II, sans doute parce que je n'y étais que par intermittence. Je ne cherchais pas à plaire, surtout pas à me rendre indispensable. Pas une seconde je ne me suis arrêté pour réfléchir à la situation, ni à ce que pourrait m'apporter un travail dans cette maison auprès de ce drôle de bonhomme handicapé, ni à ce que je pourrais apporter, moi, à cette famille. Le temps avait peut-être fait son œuvre sur moi comme sur n'importe qui, mais je n'avais conscience de rien. J'avais déjà connu des expériences assez variées et j'en avais forcément tiré des enseignements, mais je n'avais rien formulé, ni à haute voix ni dans le secret de ma tête. Même en prison, où les journées étaient longues et propices à la réflexion, en théorie, je m'abrutissais de télévision et de flashs radios. Je ne connaissais pas la peur du lendemain. À Fleury, je le savais, le futur proche ressemblait au présent. Dehors, il n'y avait pas de quoi s'inquiéter non plus. Aucun danger à l'horizon. J'avais une telle confiance en moi que je me savais invincible. Je ne me *croyais* pas invincible, non : je *savais* que je l'étais !

Pour me conduire du tribunal, sur l'Île de la Cité, jusqu'à Fleury-Mérogis, on m'avait embarqué dans un fourgon cellulaire. C'est une camionnette équipée à l'arrière de deux rangées de cabines étroites. Un seul détenu par cabine, impossible d'en mettre plus. On peut s'y tenir debout, on peut aussi s'asseoir sur une planche calée en travers. On garde les menottes aux poignets. La porte est en partie pleine et en partie grillagée. On ne regarde pas le paysage : devant soi, il y a ce réseau de fils de fer, un passage étroit, puis une autre cabine qui enferme un autre mec en route pour la même destination. Je n'ai pas cherché à distinguer son visage dans l'obscurité de la camionnette. Je n'étais pas particulièrement abattu, pas très heureux non plus, bien sûr. J'étais absent aux autres et à moi-même.

Les super-héros des films n'existent pas. Clark Kent ne devient Superman que lorsqu'il enfile sa combinaison ridicule ; Rambo ne sent pas les coups sur son corps mais il a le cœur en friche ; l'Homme invisible s'appelle David McCallum, il porte des sous-pulls en Lycra et une coupe au bol grotesque. Moi, je ne me connaissais pas de faille. J'avais le don de l'insensibilité. J'étais capable de me soustraire à tout sentiment déplaisant. Il ne naissait même pas en moi, j'étais une forteresse à l'intérieur, je la croyais imprenable. Superman et ses collègues, c'était du flan. Mais j'étais convaincu que le monde compte des super-héros bien réels, et rares, et que j'en faisais partie.

24

Madame Pozzo di Borgo se prénomme Béatrice. Je l'ai trouvée sympathique d'emblée, ouverte, simple, pas bégueule. Je l'appelle Madame. Ça lui va bien, Madame.

Madame va bientôt mourir.

À lui, je dis monsieur Pozzo. Dans ma tête, je dis juste « le Pozzo » ou « Pozzo ». Il m'a mis au courant ce matin : sa femme est malade. Une sorte de cancer. Quand il a eu l'accident de parapente qui lui a valu son état actuel, il y a deux ans, on lui a dit que son espérance de vie se réduisait désormais à sept ou huit ans. Cadeau Bonux, il se pourrait que ce soit lui qui survive le plus longtemps.

Dans cette maison, il n'y a pas la famille d'un côté et le personnel de l'autre. Tout le monde prend ses repas ensemble. On mange dans des assiettes presque normales, je devine bien qu'elles ne viennent pas du supermarché du coin mais c'est correct, ça passe au lave-vaisselle. Céline, la nounou des enfants, se charge de la cuisine. Très bien d'ailleurs. Les gamins ne lui demandent pas grand-chose de plus. Laetitia, l'aînée, a tout de l'adolescente pourrie-gâtée. Elle me snobe superbement, j'essaie d'en faire autant. Robert-Jean, douze ans, est un modèle de discrétion. Je ne sais pas lequel des deux souffre le plus de la situation. Pour moi, des gosses de riches n'ont pas de raison de souffrir. La fille, cette peste, j'ai envie de la secouer dès que je la croise. Lui montrer la vraie vie, qu'elle arrête de pleurnicher deux secondes parce que le sac à main qu'elle zieutait depuis des semaines n'est plus disponible en marron caramel. J'aimerais lui faire faire un tour à Beaugrenelle pour commencer, puis on irait crescendo, les barres à Saint-Denis, les squats dans les entrepôts désaffectés où l'on ne trouve pas seulement des toxicos en manque mais aussi des familles, des gosses, des bébés. Pas d'eau, évidemment, pas de chauffage, pas d'électricité. Des matelas crasseux posés à même le sol. J'éponge la sauce avec un morceau de baguette. Laetitia chipote, elle a laissé la moitié de sa paupiette. Béatrice reprend doucement son fils parce qu'il a trié les lamelles d'oignons. Il joue à les rassembler, du bout de sa fourchette, dans un coin de son assiette. Bientôt, Béatrice n'aura plus la force de s'asseoir à table avec nous. Elle restera allongée dans sa chambre, ici dans l'appartement, ou dans un hôpital.

Il faut le faire, quand même… Ces aristos sont les cumulards du malheur. Je regarde autour de moi. Les tableaux, les meubles en marqueterie, les commodes de style Empire avec les poignées dorées à l'or fin, le jardin d'un hectare en plein Paris, l'appartement… À quoi ça sert d'en avoir autant si l'on n'est plus vivant ? Et pourquoi ça m'atteint ?

⁂

Le Pozzo souffre. Le Pozzo prend des antidouleurs. Le Pozzo souffre à peine moins. Quand il va mieux, je l'emmène à Beaugrenelle. On ne descend pas de la voiture. Je baisse sa vitre, la main d'un pote balance un petit paquet sur les genoux de mon passager, on repart aussi sec.

— Qu'est-ce que c'est, Abdel ?

— Un truc qui marche pour se sentir bien. Pas disponible en pharmacie.

— Mais enfin, Abdel, tu ne vas pas laisser ça là ! Planque-le !

— Je conduis, je vais quand même pas lâcher le volant…

La nuit, le Pozzo ne dort pas toujours. Il retient son souffle parce que respirer lui fait mal, il aspire l'air d'un coup et c'est pire encore. De l'oxygène, il n'y en a pas assez dans la chambre, ni dans le jardin, ni dans la bouteille. Il arrive que l'on me réveille : il faut l'emmener à l'hôpital, tout de suite, sans tarder. Attendre une ambulance adaptée au transport d'un tétraplégique prendrait trop de temps. Je suis déjà prêt.

Le Pozzo souffre surtout de voir sa femme en si mauvaise santé et d'être impuissant face à la maladie comme face à son propre handicap. Je raconte des blagues, je chante, je me vante d'exploits imaginaires. Il porte des bas de contention. J'en glisse un sur ma tête et j'organise un hold-up.

— Haut les mains... Haut les mains, j'ai dit ! Vous aussi !

— Je ne peux pas.

— Ah ? Vous êtes sûr ?

— Sûr.

— C'est pas de veine... Bon, je veux ce qu'il y a de plus précieux dans cette foutue baraque. Pas l'argenterie, pas les tableaux, non ! Je veux... Votre cervelle !

Je me jette sur le Pozzo et je fais mine de lui découper le crâne. Ça le chatouille. Il me supplie d'arrêter.

Je me glisse dans l'une de ses vestes de smoking, trop grande pour moi, je donne un coup de poing dans le fond de son Stetson pour en faire un chapeau melon, je débarque en sifflant un air de ragtime et multiplie les gestes automatiques autour de son lit, comme Charlie Chaplin dans *Les Temps modernes*. Pourquoi je me fatigue ? Je m'en fiche, de ces gens. Je ne les connais pas.

Mais d'un autre côté, pourquoi pas ? Qu'est-ce que ça me coûte de faire le clown ici ou au pied de la cité ? Comme Brahim, la plupart des potes commencent à se ranger. Je n'ai personne chez qui aller traîner. Ici, il fait bien chaud, le décor est agréable, il y a du potentiel. Du potentiel de plaisir.

Le Pozzo a mal dans son corps. J'ai la décence – mais qu'est-ce qui m'arrive tout à coup ? – de ne pas demander pourquoi. L'autre candidat en période d'essai tourne autour du fauteuil et s'abîme en prières. Il garde en permanence une bible à la main, il lève les yeux au ciel en oubliant que le plafond fait barrage, il dit des mots en « us » comme dans les albums d'Astérix et psalmodie même pour demander une tasse de café. Je jaillis dans son dos en chantant du Madonna.

— *Like a virgin, ouh ! Like a vir-eur-eur-gin...*

Tout juste si frère Jean-Marie de l'Assomption de la Sainte-Trinité du Calvaire de Notre-Dame des Eaux Bénites ne croise pas les deux index pour se protéger de l'envoyé du diable que je suis. Laurence, la secrétaire – on s'appelle par nos petits noms maintenant, et tout le monde me tutoie, je suis pas bégueule – s'esclaffe discrètement. D'accord, elle n'est peut-être pas si coincée que ça... Elle me rencarde même en douce.

— C'est un prêtre défroqué.

J'éclate de rire.

— Défroqué ? Il a perdu son froc ?

— Non, juste sa soutane... Il faisait partie de l'Église mais il a décidé de réintégrer la vie civile, si tu préfères.

— Ben dis-moi, il va pas se marrer tous les jours avec un gars pareil, ton patron...

— Qu'est-ce qui te dit qu'il va le garder ?

De fait, le cureton disparaît au bout de huit jours. Il aurait mis le Pozzo en garde contre le diable de musulman qu'il avait laissé entrer imprudemment dans sa maison. Musulman, moi ? Je n'ai jamais mis les pieds à la mosquée de ma vie ! Et diable, ma foi... Peut-être encore un peu mais franchement : de moins en moins, non ?

25

Un matin, la machine à transfert s'est bloquée. Impossible de la remettre en route. Le Pozzo était déjà à moitié installé dedans, mais à moitié seulement. On avait passé les sangles sous ses bras, sous ses cuisses, il était en équilibre au-dessus du lit, pas encore au-dessus du fauteuil de douche. On imagine le confort... Il a fallu appeler les pompiers. Le temps qu'ils arrivent, qu'ils le sortent de là, qu'ils gèrent la suite du protocole jusqu'à ce qu'il soit enfin en place dans son fauteuil, c'était l'après-midi... Pendant tout ce temps, le Pozzo est resté poli, patient, résigné sans se montrer abattu. On a tous fait des blagues pour le distraire, pour dédramatiser la situation. Pas parce que la machine était bloquée : on savait bien qu'elle finirait par redémarrer un jour ou l'autre. Mais parce qu'un homme était pris au piège d'un outil censé l'aider et qu'il était impuissant à s'en libérer. Je fulminais. On envoie des hommes sur la Lune et on n'est pas capable d'inventer un système plus sûr et plus rapide pour déplacer un tétraplégique ?

Le lendemain matin, avant même qu'on allume le moteur du soulève-personne, j'ai dit à l'aide soignante que j'allais porter monsieur Pozzo jusqu'à son fauteuil de douche, moi, Abdel Sellou, un mètre soixante-dix, les bras courts et ronds comme des bâtons de guimauve. Elle a hurlé.

— Mais ça va pas, non ? Cet homme-là, il est plus fragile qu'un œuf !

Les os, les poumons, la peau : chez un tétraplégique, chaque partie du corps est vulnérable, les blessures ne se voient pas à l'œil nu et la douleur ne joue pas son rôle de signal d'alarme. Le sang circule mal, les plaies ne cicatrisent pas, les organes sont mal irrigués, les fonctions urinaires et intestinales sont atteintes, le corps ne se nettoie pas de lui-même. Quelques jours d'observation auprès du Pozzo m'avaient fourni une formation médicale accélérée. J'avais compris qu'il s'agissait d'un patient délicat. Un œuf, en effet. Un œuf de caille à la coquille fine et blanche. Je me suis souvenu de l'état de mes G.I. Joe, après usage, quand j'étais gamin. Pas joli-joli... Mais j'avais grandi. J'ai regardé le Pozzo, méga G.I. Joe de porcelaine. Lui qui montrait ses belles dents quelques instants plus tôt, il les serrait depuis que j'avais annoncé mon intention de le porter. Pourtant oui, je me sentais capable de déplacer l'œuf sans le briser.

— Monsieur Pozzo. Ça fait des jours que je vous observe. Cette machine-là, c'est l'enfer, et je crois que j'ai trouvé le moyen de nous en passer. Laissez-moi faire. Je vais y aller tout doucement.

— Tu en es sûr, Abdel ?

— Écoutez, au pire, je vous cogne une jambe, ça fait une escarre et puis c'est tout, non ?

— Ben voyons, c'est rien du tout ça, je peux supporter...

— Allez, discutez pas. On y va.

J'ai passé les bras sous ses aisselles, j'ai plaqué son buste contre moi, le reste du corps a suivi. Il était assis dans son fauteuil de douche en huit secondes et quinze centièmes, à peine. J'ai contemplé le résultat, content de moi, et j'ai aussitôt crié vers la porte :

— Laurence ! Ramène-moi la caisse à outils ! On démonte la machine à transfert !

Le Pozzo ne disait rien, il souriait, aux anges.

— Alors monsieur Pozzo ? C'est qui le meilleur ?

— C'est toi, Abdel, c'est toi !

Il alignait béatement toutes ses dents blanches. Le moment était venu de demander une explication.

— Monsieur Pozzo, dites-moi, vos dents, c'est des vraies ?

26

J'aurais pu me faire imprimer des cartes de visite. « Abdel Sellou, simplificateur ». Parce que dans la série on-va-pas-se-laisser-emmerder-par-des-machines-pourries, j'ai aussi liquidé la bétaillère, une bagnole paraît-il idéale pour toute personne handicapée. Elle était moche, pas pratique, et comme la machine à transfert, elle tombait tout le temps en panne.

La bétaillère, j'insiste, avait un système de plateforme qui sortait et s'abaissait pour permettre au fauteuil de monter à bord. Il se bloquait souvent. Ça posait problème au moment du départ puisque le Pozzo pouvait manquer son rendez-vous, mais aussi au retour parce que le véhicule était trop haut pour en extraire le fauteuil – et le Pozzo – directement. Il m'est arrivé d'aller chercher une planche et de m'en servir comme toboggan. Dans la bétaillère, le Pozzo restait assis dans son siège habituel, lequel était simplement posé à l'arrière du côté droit. Les roues n'étaient pas fixées au plancher, et même si l'on actionnait les freins, le fauteuil tanguait dans les virages. Dangereux pour un œuf, surtout quand le chauffeur s'appelle Sellou et qu'il a appris à conduire sur des voitures volées dans les parkings de banlieue… En plus, le Pozzo n'avait qu'une toute petite fenêtre sur le paysage et le moteur faisait un boucan d'enfer. Quand j'étais au volant, je devais presque me tourner complètement pour parler au patron. Je ne parlais pas, d'ailleurs, je hurlais.

— Ça va ? Pas trop secoué ?

— Regarde la route, Abdel !

— Vous dites ?

— LA ROUTE !

Moi, je roulais en Renault 25 GTS, s'il vous plaît. D'accord, aujourd'hui, ça paraît complètement ringard, mais à l'époque, c'était la classe ! Une voiture de mec qui a réussi sa vie ! Je l'avais achetée aux enchères dès 1993, juste après avoir obtenu mon permis. Elle avait été saisie à un pauvre type qui, lui, ne pouvait plus payer ses factures. Et moi, le petit délinquant, le repris de justice, je me l'étais payée cash. La classe… Elle avait une excellente reprise, un poste autoradio qui jetait du décibel à vingt bornes à la ronde. Rien à voir avec une bétaillère. J'ai fini par me mettre en grève. On allait embarquer le Pozzo, j'avais le doigt sur la télécommande de la plate-forme, j'ai dit non.

— Comment ça non, Abdel ?

— Non. Non monsieur Pozzo. Non.

— Mais non à quoi ?

— Non, je ne conduis plus cet engin. Vous êtes pas un mouton quand même, vous pouvez monter dans une voiture normale.

— Hélas, Abdel, je ne peux pas.

— Et vous ne pouviez pas vous passer de la machine à transfert non plus, pas vrai ? Bon. Bougez pas, je vais chercher ma caisse.

— Je ne bouge pas Abdel, fais-moi confiance !

J'ai poussé le fauteuil jusqu'à la place GIC-GIG (grands invalides civils, grands invalides de guerre) où j'avais garé mon bolide équipé d'un faux macaron portant le signe handicapé. C'est génial, ce petit morceau de papier, ça vaut largement la botte « Prioritaire » au jeu du Mille Bornes.

— Où as-tu obtenu ce macaron, Abdel ?

— C'est une photocopie de celui de la bétaillère. Copie laser couleur, ça m'a coûté une blinde !

— Abdel, ça ne se fait pas, ça n'est pas bien...

— C'est tellement pratique pour se garer à Paris. Et puis ça se fait puisque je vais vous emmener dans ma caisse.

J'ai ouvert la portière du côté passager, reculé le siège au maximum, garé le fauteuil contre la carrosserie.

— Alors quoi, vous m'encouragez pas ? Vous encouragez Babette et moi vous m'encouragez pas !

— Allez Abdel ! Soulève le Pozzo !

Il pouvait, évidemment, monter dans une voiture normale... Nous sommes partis aussi sec porte de la Chapelle. Je savais qu'on pourrait y voir exposés quelques jolis bijoux à quatre roues parmi lesquels cet amateur de belles choses trouverait forcément son bonheur. À moi, les voitures me plaisaient toutes. Je ne disais rien, je regardais le Pozzo slalomer dans son fauteuil électrique entre la Chrysler et la Rolls-Royce, la Rolls et la Porsche, la Porsche et la Lamborghini, la Lamborghini et la Ferrari…

— Elle est pas mal, celle-là ! Ce noir, c'est sobre. Qu'est-ce que tu en penses, Abdel ?

— Monsieur Pozzo, la Ferrari, ça risque d'être juste au niveau du coffre.

— Parce que tu comptes me mettre dans le coffre, Abdel ?

— Vous non, mais le fauteuil ?

— Ah, merde ! Je l'avais oublié celui-là…

Il a finalement arrêté son choix sur une Jaguar XJS 3,6 litres, phares carrés, tableau de bord en ronce de noyer, intérieur cuir…

— Ça te va, Abdel ?

— Oui, ça ira…

— On l'achète ?

— Il va falloir être patient, monsieur Pozzo. La vente a lieu dans trois jours.

— OK, on attendra… Mais pas un mot à ma femme, d'accord ?

— Juré. Je serai muet comme un gardon.

— Comme une carpe, Abdel, comme une carpe.

— Comme une carpe aussi, si ça vous fait plaisir !

27

C'est en Jaguar que je conduis le Pozzo à l'hôpital où sa femme, Béatrice, vient de subir une greffe de moelle osseuse. L'opération de la dernière chance : les médecins ne lui donnaient plus que quatre à six mois à vivre. Tout s'est bien passé au bloc et au réveil, mais l'affaire n'est pas gagnée pour autant. Elle n'a aucune défense immunitaire. Elle doit rester dans une chambre stérile, dans une bulle.

Chaque matin pendant des semaines, je porte le Pozzo dans la Jaguar et je le conduis auprès d'elle. Auprès d'elle… autant que possible : derrière la paroi isolante. Une charlotte sur la tête, des chaussons de plastique par-dessus les Weston, il roule jusqu'à la limite à ne pas franchir. Il regarde sa femme des heures durant, elle est allongée dans son lit, elle délire un peu. Nous la quittons le soir avec la crainte de ne pas la trouver en meilleure forme le lendemain matin. En effet, le verdict tombe de la bouche des médecins.

Madame Pozzo va nous quitter.

Dans la Jaguar, je me tais.

⁂

Plus d'aides soignantes. Plus d'infirmières. J'étais désormais le dernier visage que voyait Philippe Pozzo di Borgo le soir et le premier regard qu'il croisait le matin. Depuis que je le portais, on n'avait quasiment plus besoin de personne. Maintenant que sa femme était morte, il dormait seul. Il l'avait regardée s'éteindre, incrédule, fou de rage. Il l'avait toujours connue malade et il l'avait aimée malgré la maladie, malgré l'inconfort au quotidien, alors qu'il était si bien portant, alors qu'il courait le week-end à la campagne, alors qu'il volait par-dessus les montagnes. Il avait eu ce terrible accident de parapente, le 23 juin 1993, et pendant deux ans la maladie de sa femme avait reculé. Tout le monde avait cru qu'il s'agissait d'une rémission, que les traitements opéraient enfin, qu'elle vivrait longtemps encore, pourquoi pas ? Elle avait trouvé la force d'organiser une nouvelle vie pour toute la famille autour du handicap de son mari. Ils avaient quitté la maison qu'ils habitaient en Champagne pour Paris et ses hôpitaux. Ils avaient aménagé un espace de vie très confortable pour tous – évidemment, avec de l'argent, c'est plus facile – et les enfants semblaient s'adapter autant que possible à leur nouvelle existence dans la capitale, avec un père en fauteuil, une mère malade... Et quand tout semblait en place, quand tous les obstacles à une vie presque normale avaient été levés, Béatrice Pozzo di Borgo avait rechuté.

Je vivais auprès d'eux depuis un an environ quand c'est arrivé. Madame Pozzo n'avait pas été consultée sur le choix de l'auxiliaire de vie qui n'en était pas un. Elle n'avait pas levé son veto en voyant débarquer chez elle ce jeune Arabe mal éduqué et imprévisible. Elle m'avait observé sans me juger, elle m'avait accepté aussitôt. Elle riait de mes blagues sans y participer, avec une certaine distance, mais toujours avec bienveillance. Je sais qu'elle avait un peu peur, parfois, quand elle me voyait embarquer son mari sans prévenir et sans lui dire où je l'emmenais. Je sais qu'elle n'avait pas approuvé l'achat d'une voiture de luxe. Son côté protestant : elle n'aimait pas les signes ostentatoires de richesse. C'était une femme simple, je la respectais. Pour la première fois, je ne jugeais pas une bourgeoise coupable d'en être une.

En un an, qu'est-ce qu'on avait fait, le Pozzo et moi ? Juste connaissance. Il avait tenté de m'interroger sur mes parents, je pense même qu'il avait envie de les rencontrer. J'éludais le problème.

— Tu sais Abdel, c'est important d'être en paix avec sa famille. L'Algérie, ton pays, tu connais ?

— Mon pays c'est ici et je suis en paix avec moi-même.

— Je n'en suis pas sûr, Abdel.

— C'est bon.

— C'est bon, Abdel. On n'en parle plus...

La bétaillère n'était pas faite pour les rodéos sur le périphérique, la Jaguar s'y prêtait davantage.

C'est moi qui appuyais sur l'accélérateur, mais c'est ensemble qu'on dépassait les limites. Il aurait suffi d'un mot pour que je ralentisse. Le Pozzo voyait sa femme partir, il n'exprimait pas sa douleur, il regardait le film de sa vie se dérouler sans lui, en spectateur. J'appuyais un peu plus. Il tournait légèrement la tête vers moi, le moteur vrombissait, j'éclatais de rire, fort, aussi fort que possible, il tournait la tête de l'autre côté. Il abandonnait. On fonçait, ensemble, à la vie à la mort.

Un an, c'était déjà assez pour que l'on sache l'un et l'autre, même sans l'avoir exprimé, que je resterais. Si j'avais dû partir, je l'aurais fait plus tôt. Je n'aurais pas dit oui au voyage en Martinique quelques semaines avant la greffe.

— Ce seront les dernières vacances de Béatrice avant longtemps, partons tous les trois ! m'avait dit le Pozzo pour me convaincre.

Je n'étais jamais allé plus loin que Marseille, il n'était pas nécessaire de me convaincre de quoi que ce soit. L'argument des « dernières vacances avant longtemps » était bidon, on le savait tous. Les dernières vacances tout court... On connaissait les risques liés à la greffe de moelle osseuse sur Béatrice. En fait, c'est son mari qui est tombé malade en Martinique. Encombrement pulmonaire : pour expliquer la chose simplement, les sécrétions se sont accumulées dans les bronches, il avait un mal fou à respirer. Il a été admis en réanimation et il y est resté pendant tout le séjour. Moi, je déjeunais avec Béatrice, en tête à tête, au bord de la plage. On ne se parlait pas beaucoup, elle et moi, ce n'était pas nécessaire, il n'y avait aucune gêne non plus. Je n'étais pas l'homme qu'elle aimait. Je n'étais pas celui qu'elle aurait aimé voir assis là, avec deux bras mobiles, l'un portant la fourchette à sa bouche et l'autre prêt à traverser la table pour caresser sa main. Cet homme-là n'existait plus de toute façon, elle avait dû y renoncer depuis l'accident de parapente, alors autant se contenter de ce jeune type un peu lourd et mal élevé, mais pas vraiment nuisible.

J'aime bien penser qu'elle me jugeait capable de prendre soin de son mari pendant les épreuves à venir. J'aime bien penser qu'elle me faisait confiance. Mais peut-être qu'elle ne se disait rien de tout ça. Peut-être qu'elle aussi, tout simplement, elle abandonnait. Quand on ne maîtrise plus rien, c'est sans doute la seule chose à faire, non ? Lâcher prise, à deux cents à l'heure sur les quais de la Seine ou confortablement assise dans un cadre paradisiaque, sous le soleil, face à la mer turquoise.

J'ai cru qu'il ne survivrait pas à la mort de sa femme. Pendant des semaines, il n'a plus voulu quitter son lit. Il recevait la visite de membres de sa famille, il les regardait à peine. Céline s'occupait des enfants, consolatrice et pragmatique à la fois, elle les maintenait à distance, jugeant qu'ils avaient assez à faire avec leur propre chagrin. Moi, je tournais comme un satellite autour du Pozzo en permanence. Mais il ne me laissait plus le distraire. Digne jusque dans la dépression, il tenait seulement à être présentable lors des rendez-vous médicaux. Nous nous passions souvent des aides soignantes et des infirmières depuis quelques mois parce qu'il faisait preuve de volonté, parce qu'il prenait un malin plaisir à montrer qu'avec la seule aide des bras et des jambes d'Abdel, il s'en sortait très bien. Il a fallu les rappeler et elles sont arrivées aussitôt, compétentes et dévouées. Monsieur Pozzo tolérait mal que tant de personnes s'affairent autour de son corps aux trois quarts mort alors qu'on n'avait rien pu faire pour celui de sa femme.

Heureusement que j'étais jeune et impatient. Heureusement que je ne comprenais rien. J'ai dit stop.

IV

Apprendre à vivre autrement

28

— Monsieur Pozzo, ça suffit, on se lève maintenant !

— J'ai envie de rester tranquille, Abdel, laisse-moi je t'en prie.

— Vous êtes resté tranquille assez longtemps. Y en a marre. Ça vous plaît, ça vous plaît pas, c'est pareil. On s'habille et on sort… En plus, moi je sais que ça va vous plaire.

— Fais comme tu voudras…

Le Pozzo soupire. Le Pozzo tourne la tête, il cherche du vide, un espace libre sans mains qui bougent, sans regard. Les bouches qui parlent, il les zappe.

Je ne veux plus l'appeler « le Pozzo ». Il n'est pas une chose, un animal, un jouet, une poupée. L'homme devant moi souffre et ne regarde plus qu'à l'intérieur de lui-même, dans ses souvenirs, dans ce qu'il n'est plus, sans doute. J'ai beau m'agiter comme un diable, danser la *Cucaracha*, faire hurler Laurence en lui jouant de mauvais tours, il ne me calcule pas. Qu'est-ce que je fous là ? Il pourrait me demander pourquoi je reste encore, puisque je me le demande, moi...

Je lui répondrais une connerie.

Je lui répondrais que je reste pour le confort du canapé Louis-Philippe, dans sa chambre, que je ne quitte plus depuis la disparition de Béatrice. J'ai sous-loué l'appartement sous les toits à une copine. Personne ne le sait ici. Je suis honnête, et vraiment je l'aime bien cette fille, alors je ne lui demande pas grand-chose comme loyer. Quoi ? Mille balles par mois. On est bien en dessous des prix du marché.

Je lui répondrais que je reste pour la Jaguar. Que j'aimerais bien qu'il se retape, un peu, que je puisse le laisser la nuit et reprendre mes virées nocturnes. Cette bagnole fonctionne comme un aimant sur les femmes. Enfin, certaines... Je sais : ce n'est pas parmi celles qui montent que je trouverai ma Béatrice. Celles qui montent sont celles que seul le fric intéresse. On ne se connaît pas, on ne va pas se connaître. Je les mets au parfum quand l'affaire est faite, salaud et heureux de l'être.

— La bagnole, c'est celle de mon patron. Je te dépose à la prochaine station de métro, si tu veux...

Je lui répondrais que je reste parce que j'adore aller manger des échantillons de nourriture dans les restaurants à deux mille balles et me régaler d'un sandwich grec en sortant.

Je lui répondrais que je reste parce que je n'ai encore jamais vu *La Traviata*, en vrai, et que je compte sur lui pour m'emmener à l'Opéra (il m'a fait écouter des extraits, un jour, il m'a expliqué l'histoire, c'était à crever d'ennui... j'ai vraiment cru que j'allais y passer).

Je lui répondrais que je reste parce que j'ai envie de m'amuser, parce que je suis en vie, parce que la vie est faite pour s'éclater et qu'on y parvient plus facilement quand on a de l'argent à dépenser. Il se trouve qu'il en a et qu'il est en vie lui aussi, ça tombe bien !

Je lui répondrais que je reste pour son argent. D'ailleurs, c'est ce que pensent la plupart de ses amis, ils ne s'en cachent pas tous. Je déteste donner tort aux gens trop sûrs d'eux. Ils se momifient dans leurs certitudes, c'est un spectacle réjouissant.

Il insisterait :

— Pourquoi restes-tu, Abdel ?

Je ne lui répondrais pas que je reste pour lui, parce qu'on n'est pas des chiens, quand même.

Je lui ai mis son costume Cerutti, le gris perle, une chemise bleue, des boutons de manchette en or et une cravate à rayures rouge sang. Une goutte d'Eau Sauvage, son eau de toilette depuis trente ans, la même que son père. J'ai coiffé ses cheveux et lissé sa moustache.

— Où m'emmènes-tu, Abdel ?

— Manger des huîtres ? Ça vous dirait de manger des huîtres ? J'ai comme une petite envie d'huîtres, moi...

Je me lèche les babines, je me frotte la panse. Il sourit. Il sait que je déteste les huîtres, surtout aux beaux jours, elles sont toutes laiteuses. Mais lui, avec un filet de citron ou une sauce à l'échalote, il adore. C'est parti pour la Normandie.

— On se met un CD dans la caisse ? Qu'est-ce que vous voulez écouter, monsieur Pozzo ?

— Gustav Mahler.

Je mets deux doigts sous mon nez pour figurer la moustache nazi, je prends l'accent allemand et je me fâche.

— Goustaf Malheur ? *Ach nein*, Mossieu Pozzo ! Assez malheur maintenant. Assez !

Il esquisse un sourire. C'est un début...

La Jaguar est une voiture magnifique mais dangereuse. On ne sent pas la vitesse. Elle file, on lévite, on ne se rend compte de rien. En route pour l'hôpital Raymond-Poincaré à Garches, je ne me suis pas aperçu qu'elle s'emballait comme un cheval au galop. On était bien, monsieur Pozzo et moi, on écoutait France Musique, une petite symphonie sympa pour passer le temps au téléphone quand on appelle la Sécu. Deux motards nous rattrapent sur le pont de Saint-Cloud. Je les vois dans le rétroviseur, je jette un œil au compteur : cent vingt-sept kilomètres à l'heure, seulement... Monsieur Pozzo est en forme aujourd'hui, je tente le coup.

— Y a deux flics, là, qui vont bientôt nous arrêter.

— Oh... Abdel ! On va être en retard.

— Ben pas forcément, monsieur Pozzo. Vous voulez pas me faire votre tête des mauvais jours ?

Les policiers se rapprochent dangereusement.

— C'est quoi, ma tête des mauvais jours ?

Je prends un air terriblement constipé, il éclate de rire.

— Ah ben non, monsieur Pozzo, faut pas rire maintenant, il faut souffrir ! Allez, je compte sur vous !

— Abdel, enfin, non ! Abdel !

Je ralentis franchement, je mets le clignotant et je commence à me ranger sur le bas-côté, je baisse la vitre.

— Abdel !

— Trois, deux, un… Souffrez !

Je ne le regarde pas, j'ai peur de me marrer. Je me penche vers le flic qui s'avance avec prudence. Je joue le brave type complètement paniqué.

— Il fait une crise ! C'est mon patron. Il est tétraplégique. Il fait une crise d'hypertension, je l'emmène à Garches, on n'a pas le temps de s'arrêter, il va éclater !

— Coupez le moteur, monsieur.

J'obtempère de mauvaise grâce, je donne un coup de poing sur le volant.

— On n'a pas le temps, je vous dis !

L'autre policier nous a rejoints, il fait le tour de la voiture, suspicieux, il s'adresse à mon passager.

— Monsieur, baissez votre vitre s'il vous plaît. Monsieur, monsieur !

— Comment voulez-vous qu'il baisse sa vitre ? Tétraplégique, vous savez ce que ça veut dire ? Té-tra-plé-gique !

— Il est paralysé ?

— Bravo, ils ont compris !

Ils me regardent tous les deux, à la fois énervés par le ton que j'emploie, inquiets de ne pas maîtriser les événements, et vexés. Je risque un œil sur monsieur Pozzo. Il est formidable. Il a laissé tomber sa tête sur son épaule, le front collé à la portière, il a les yeux révulsés, et en plus il râââle... Sa tête ne ressemble pas du tout à celle des mauvais jours, mais je suis le seul à le savoir.

— Écoutez, me questionne le premier, nerveux. Vous alliez où comme ça ?

— À l'hôpital Raymond-Poincaré, à Garches, je vous dis ! Ça urge !

— J'appelle une ambulance tout de suite.

— Sûrement pas, ce sera trop long, il tiendra pas ! Voilà ce qu'on va faire : vous connaissez le chemin jusqu'à Garches ? Oui ? Très bien ! Alors vous, vous passez devant, et votre collègue là, il passe derrière. En route !

J'enclenche le contact et j'appuie sur l'accélérateur pour exprimer ma détermination. Après une seconde d'hésitation – car le policier, souvent, est de nature hésitante –, les gars enfilent leurs casques et se placent comme j'ai dit. Nous filons vers l'hôpital, à vitesse modérée, les deux motards tenant leur guidon d'une main et faisant des gestes aux automobilistes de l'autre pour qu'ils s'écartent.

Monsieur Pozzo redresse un peu la tête et me demande :

— Et une fois là-bas, Abdel, c'est quoi, ton plan ?

— Ben, on fait ce qu'on a dit ! Vous êtes bien censé animer une conférence devant les handicapés, non ?

— Si si...

Sur le parking de l'hôpital, j'ai rapidement sorti du coffre le fauteuil pliable de monsieur Pozzo, j'ai ouvert la portière côté passager, porté le jeune espoir de la comédie dramatique, et interrompu brutalement un des motards qui proposait son aide.

— Ah, surtout pas mon vieux : cet homme-là, il est fragile comme un œuf !

— Râââ... a fait le mourant.

Je l'ai poussé en trottinant vers l'entrée des urgences tout en hurlant aux policiers :

— C'est bon, vous pouvez y aller ! Si y meurt pas, je porterai pas plainte contre vous !

Nous avons attendu qu'ils aient disparu pour ressortir : nous n'étions pas au bon endroit pour la conférence. Le boss riait comme il n'avait pas ri depuis des semaines.

— Alors c'est qui, le meilleur ?

— C'est toi, Abdel, toujours toi !

— Eh eh... Par contre vous, vous n'aviez pas du tout l'air en crise, là, mais alors pas du tout ! C'était quoi, cette grimace ?

— Abdel, tu as déjà vu *La Traviata* ?

— Je l'ai pas vue, non. Mais grâce à vous, je connais l'histoire, merci bien.

— Je faisais Violetta, à la fin...

Et il chante. « *Gran Dio ! Morir sì giovine* [1]... »

---

1. « Grand Dieu ! Mourir si jeune... » (IIIe acte, scène VI).

29

On compte le temps des tétraplégiques comme celui des chiens : une année de vie en vaut sept. Philippe Pozzo di Borgo avait eu son accident à quarante-deux ans, trois ans avant. Trois fois sept font vingt-et-un qu'on ajoute : en 1996, il avait donc, si l'on peut dire, soixante-trois ans. Pourtant, il ne ressemblait pas tellement à Agecanonix, le vieillard dans Astérix, tout petit, tout rabougri, le cœur aussi sec que la tignasse... Le comte, lui, avait l'allure d'un seigneur et le cœur de ses vingt ans.

— Monsieur Pozzo, il vous faut une femme.

— Une femme, Abdel ? La mienne est morte, tu te souviens ?

— On va en trouver une autre. D'accord, ce sera pas la même, mais ce sera mieux que rien.

— Mais la pauvre, qu'est-ce que je lui ferais ?

— Vous lui parlerez doucement, comme Cyrano de Bergerac à Roxanne.

— Ah, bravo Abdel ! Je vois que mes leçons de littérature portent leurs fruits !

— Vous m'apprenez à lire, je vais vous apprendre à vivre.

J'ai fait venir des amies. Aïcha, petite brune à forte poitrine, bombe et infirmière à la fois, comprenait la situation. Lors de sa première visite, on a bu un verre tous ensemble. Le lendemain, je me suis éclipsé. Le surlendemain, elle s'est allongée sur le lit. Pendant quelque temps, monsieur Pozzo et elle ont dormi ensemble. Aïcha ne voulait pas d'argent, pas de cadeaux. Elle s'intéressait à cet homme qui conversait si bien, mais elle n'était pas intéressée... Lui ne s'y trompait pas : il ne tomberait pas amoureux d'elle, ni elle de lui, mais ils passaient de bons moments ensemble. Aïcha respirait calmement, il sentait son souffle, la chaleur de son corps, elle l'apaisait. Il y en a eu quelques autres ensuite, professionnelles de la compagnie, heureuses de travailler et de se reposer en même temps. Je les prévenais :

— Il faudra être douce avec mon patron, et parler correctement. Tu jettes ton chewing-gum avant de venir, tu surveilles ton langage, tu fais pas la poissonnière !

Monsieur Pozzo se remettait lentement de la mort de sa femme. Très lentement... Je le surprenais quelquefois les yeux dans le vide, esprit désincarné, spectateur impuissant des jouissances des hommes, privé de tout espoir de les partager un jour. Malgré Aïcha et les parfums capiteux de ses compagnes provisoires, il n'allait pas vraiment mieux. Béatrice n'était plus là depuis plusieurs mois, Laurence partait en vacances, les gamins s'étiolaient à Paris. J'ai proposé un petit voyage.

— Monsieur Pozzo, vous avez bien un petit pied-à-terre quelque part dans le Sud ?

— Un pied-à-terre... Non, je ne vois pas... Ah si, il y a La Punta, en Corse. Notre famille l'a vendue au Conseil général il y a quelques années, mais il reste une tour où l'on peut séjourner, près du caveau familial.

— Dans un cimetière, ça va être gai... C'est tout ce que vous proposez ?

— C'est tout, oui.

— Alors c'est parti ! Je fais les valises.

Nous sommes huit dans la bétaillère (il a fallu se rendre à l'évidence : on ne rentrait pas tous dans la Jaguar). Céline et les enfants sont de l'aventure, bien entendu, mais aussi Victor, un neveu de monsieur Pozzo, sa sœur Sandra et le fils de celle-ci, Théo. Il fait chaud, mais pas encore assez. On n'enclenche la climatisation que par intermittence et personne ne se plaint. Un tétraplégique a toujours froid. On le couvre de plaids, de bonnets, de lainages, rien ne suffit jamais. J'en ai vu plein dans le Morbihan, à Kerpape, le centre de rééducation où monsieur Pozzo se rend aux beaux jours pour sa révision annuelle. Aux premiers rayons de soleil, les fauteuils s'alignent devant la fenêtre, plein sud, et ils n'en bougent pas. Dans le multiplace, Philippe Pozzo di Borgo fait bonne figure pour les enfants. Je sais qu'il pleure toujours sa femme, qu'il nous hait tous un peu d'être là quand elle n'y est pas, on transpire, nos odeurs se mélangent, mais au moins, lui, il n'a pas froid.

On avale les kilomètres, sans excès de vitesse. Chacun s'assoupit tour à tour, je résiste. Céline vient de rouvrir un œil, elle s'étire.

— Tiens, on arrive à Montélimar... On pourrait s'arrêter pour acheter du nougat ?

Je grommelle que si on commence à s'arrêter chaque fois qu'une spécialité culinaire s'annonce, on n'est pas arrivés...

Elle ne dit rien, je crois qu'elle boude un peu. Et puis :

— Abdel, c'est normal, la fumée ?

Je regarde de chaque côté de l'autoroute, je ne vois rien.

— Tu as vu un incendie de forêt ?

— Non, je parle de la fumée qui s'échappe du capot. C'est bizarre, non ?

C'est même fichu. Grillé, le moteur ! Moi qui voulais me débarrasser définitivement de la bétaillère, c'est fait. Elle est immobilisée sur la bande d'arrêt d'urgence, je suis seul avec quatre enfants, deux femmes et un tétraplégique, nous sommes au mois d'août, il fait maintenant quarante degrés à l'ombre, il reste environ deux cents kilomètres à parcourir jusqu'à Marseille où nous sommes censés embarquer pour la Corse dans moins de quatre heures, tout va bien... Ils se fichent tous de moi, légers, rigolards. J'ai oublié de vérifier le niveau d'huile. Ou l'eau. Ou les deux, qu'est-ce que j'en sais ? Je ne m'affole pas.

— Il doit bien y avoir un contrat d'assurance dépannage quelque part dans le vide-poches, non ? Eh oui, bien sûr ! Tiens, vous allez rire : il n'est plus valable que pendant une semaine. Heureusement qu'on n'est pas tombés en panne au retour, pas vrai ?

Le patron se marre.

— C'est vrai, ça, Abdel, puisqu'on est encore assurés, tout roule !

Je sors mon téléphone portable, accessoire qui s'est déjà démocratisé à l'époque, j'appelle d'abord une dépanneuse. Puis je tente les entreprises de location de voitures. En vain. On est en plein été, il y a des touristes à Montélimar comme partout, on ne trouvera rien. Je contacte l'assistance-constructeur, je hurle au téléphone qu'on ne laisse pas un tétraplégique au bord de la route. Je leur ressors ma fameuse phrase, toujours la même, sur mon passager très spécial :

— Il est tétraplégique, vous savez ce que ça veut dire ? Té-tra-plé-gique !

Dans la voiture qui exhale encore un filet de fumée noire, tout le monde se marre.

— Mais Abdel, pourquoi tu t'énerves ? On n'est pas bien, là, sur l'autoroute, au pays du nougat ?

L'assistance propose de rembourser le trajet de Montélimar jusqu'à Marseille en taxi. Mais il faut qu'on se rende par nous-mêmes jusqu'à Montélimar. Justement, la dépanneuse vient d'arriver. Tous à bord ! Le mécano, un sexagénaire qui semble avoir abusé de la spécialité locale si j'en juge par son tour de taille, exprime son désaccord sur un ton débonnaire.

— Ah, non, je ne peux prendre que deux ou trois personnes dans ma cabine. Plus, ça ne se fait pas.

— On va rester dans la bétaillère.

— Ah non, c'est interdit, ça, monsieur. Ça ne se fait pas.

Je le tire par le col jusqu'à l'entrée latérale de la voiture, je lui montre le fauteuil.

— Vous voulez que je le pousse sur la bande d'arrêt d'urgence pendant vingt kilomètres ?

— Ah, non, vous avez raison, monsieur. Ça ne se fait pas non plus.

— Voilà, ça ne se fait pas... On charge !

Alexandra, Victor et Théo montent à côté du conducteur de la dépanneuse pendant que celui-ci entreprend de charger la bétaillère sur sa plate-forme. Nous n'avons pas fait descendre monsieur Pozzo. Laetitia, Robert-Jean, Céline et moi tentons de maintenir son fauteuil debout pendant la manœuvre. Ça tangue sévèrement, si loin des côtes... Les gamins sont pliés en deux. Ils répètent avec l'accent du mécanicien : « Ça ne se fait pas, ça ne se fait pas ! » Ce sera le mantra des vacances. Je crois voir que Philippe Pozzo rit franchement lui aussi.

Nous voilà arrivés sur le port de Marseille. Juste à temps : le bateau part dans vingt minutes. En théorie... Je viens de payer les deux taxis, ils repartent juste quand j'entends Céline qui s'inquiète.

— Pour un jour de grands départs, il n'y a pas beaucoup de monde, vous ne trouvez pas ? Tous les vacanciers auraient déjà embarqué ? Je trouve qu'il n'y a pas de mouvement, sur ce bateau...

C'est vrai, le paquebot jaune et blanc paraît carrément abandonné. Il n'y a personne sur le quai, à part nous, et la plate-forme d'embarquement des véhicules est relevée... Je cours me renseigner à la capitainerie. Je reviens vers notre petit groupe qui s'est installé à l'ombre d'un entrepôt désert, lui aussi.

— Vous allez rire, la capitainerie est fermée.

— Ah bon ? Et il n'y a rien d'écrit quelque part ?

— Si si... Il est écrit que la compagnie maritime est en grève illimitée.

Tout le monde en reste bouche bée plusieurs secondes. Jusqu'à ce que la petite voix de Victor commente très justement :

— Ça ne se fait pas !

J'ai pris des renseignements par téléphone auprès de l'agence qui nous avait vendu les billets pour le bateau. On nous proposait de nous rendre à Toulon d'où nous pourrions faire la traversée. Toulon, à soixante-dix kilomètres... J'ai tenté d'appeler un taxi. Pas moyen. Je suis donc parti à pied, seul, jusqu'à la gare de Marseille, pour réquisitionner non pas un, mais deux taxis. Les voyageurs arrivés par le train désespéraient eux aussi. Pas de taxi. Je suis reparti vers le centre-ville, je me suis enfoncé dans les petites rues, annexes de la Casbah d'Alger. J'ai parlé en arabe aux vieux qui chiquaient leur tabac sur les pas de porte et j'ai fini par en trouver un prêt à m'aider contre un petit billet.

La tête des autres quand ils nous ont vus arriver sur le port... Notre chauffeur était l'heureux propriétaire d'un Peugeot 305 break tellement déglingué qu'il n'avait pas eu le droit de quitter le territoire cet été là. C'est dire...

— Abdel, on ne va pas monter là-dedans, quand même ?

— Mais si, ma chère Laetitia ! À moins que tu préfères rester là ?

— Non mais t'es vraiment malade ! Je monte pas, moi, je monte pas !

L'adolescente, bourgeoise jusqu'au bout des ongles – manucurés, bien sûr, à quinze ans ! – nous pique une crise d'hystérie. Elle est absolument horrifiée. Son père commente, incrédule :

— Abdel, toute question de confort mise à part, comment veux-tu qu'on rentre à huit dans une voiture pareille ?

— À neuf, monsieur Pozzo, à neuf ! Vous oubliez le chauffeur...

On a réussi en effet. Et même Laetitia a survécu.

30

Ce genre de scène prête toujours beaucoup à rire dans les films. Enfin... Les spectateurs rient, pas les personnages. Quand tout part en vrac, on règle ses comptes, les petites mesquineries ordinaires ressurgissent, la nature profonde des uns et des autres se révèle. Ils auraient pu me tomber dessus, tous, me juger responsable de la panne puisque j'étais le chauffeur, m'accabler de reproches parce que j'avais laissé les deux taxis s'éloigner trop tôt, parce qu'on n'avait pas assez de bouteilles d'eau dans la voiture, parce que c'était moi, tout de même, qui avais eu l'idée de ces vacances ! Aucun d'eux n'a dit quoi que ce soit de désagréable. Comme dans la bétaillère où tous avaient supporté la chaleur sans râler, ils ont pris le parti de rire de la situation. Pour leur père, leur frère, leur oncle qui, lui, ne se plaignait pas. Pour monsieur Pozzo, le premier à rire de notre excès de malchance. Le trajet de Paris à Marseille l'avait fatigué, bien plus que nous, il était même très éprouvé d'avoir été trop secoué et soumis au bruit de la bétaillère et à nos piaillements, il accusait une grande fatigue, il mettait sa santé déjà tellement fragile en danger. Mais non, il ne protestait pas. Il nous regardait, les uns après les autres, comme s'il réalisait à nouveau le plaisir qu'il avait d'être en vie parmi nous. Je ne dis pas seulement parmi les membres de sa famille, mais bien parmi nous.

J'étais arrivé à ses côtés par accident un an plus tôt et j'étais resté presque sans l'avoir décidé. Contre toute attente, je m'étais conduit comme un véritable auxiliaire de vie : j'avais tourné les pages de son journal, j'avais enclenché le disque qu'il voulait écouter, je l'avais emmené au café qu'il aimait, j'avais mélangé le sucre au breuvage et porté la tasse à ses lèvres. Par mon corps, par tout ce que je pouvais produire, par ma force et ma joie de vivre, j'avais pallié ses déficiences. Pendant les quelques semaines qui avaient précédé la mort de Béatrice, puis les quelques suivantes, je ne l'avais pas quitté un seul instant. Le mot travail ne signifiait pas la même chose pour moi que pour un mec sérieux qui a peur de perdre son boulot et de ne plus pouvoir payer ses factures. Je me fichais bien de la sécurité de l'emploi et j'avais toujours assez d'irrévérence pour partir sur un coup de tête si l'envie m'en prenait. Il n'y avait pas d'horaires, je n'avais plus de vie privée, je ne voyais même plus mes potes, ça m'était bien égal. J'étais resté, pourquoi ? Je n'étais ni un héros ni une bonne sœur. J'étais resté parce qu'on n'est pas des chiens, quand même...

J'avais vécu ces heures difficiles en suivant le même raisonnement que lors de ma détention à Fleury-Mérogis : la situation était pénible, je ne la maîtrisais pas, mais je savais qu'elle prendrait fin un jour. Il n'y avait qu'à attendre. Des semaines plus tard, sur ce quai du port de Marseille, face à un paquebot où personne ne nous attendait, j'ai réalisé que j'étais libre à nouveau.

Parce que monsieur Pozzo, encore une fois pris au piège d'une situation absurde, faisait le choix de la vie.

Alors, face à cet homme qui avait la bonté de rire, j'ai compris qu'autre chose que le travail nous liait. Rien à voir avec un contrat ni même une obligation morale. Auprès de mes potes, et même de mes parents, je cachais une vérité dont je n'avais pas conscience : je leur assurais que je restais auprès de mon patron pour profiter de ses largesses, pour voyager avec lui, pour vivre dans le confort de meubles cossus et rouler en voiture de sport. Il y avait un peu de ça, sans doute, mais si peu. Je crois bien que j'aimais cet homme, tout simplement, et que celui-ci me rendait mon affection, tout aussi naturellement.

Plutôt mourir dans une chute de parapente que l'avouer.

31

J'accompagne monsieur Pozzo partout. Absolument partout. Maintenant qu'il s'est – un peu – remis de la mort de sa femme, on se débrouille à nouveau sans infirmière et sans aide soignante. J'ai appris à faire ce qu'il faut, soigner les escarres, couper des lamelles de chair morte, poser la sonde. Je ne suis pas dégoûté. On est tous fabriqués pareil. C'est pour comprendre la douleur qu'il m'a fallu du temps. Je ne me suis jamais amusé à verser l'eau de la théière sur ses jambes comme mon personnage dans le film *Intouchables* : monsieur Pozzo ne sent rien, d'accord, j'ai saisi. Mais alors, pourquoi hurle-t-il comme ça ? Il est sensible à ce qui ne marche pas correctement à l'intérieur de son corps. Une histoire de terminaisons nerveuses, à ce qu'il paraît. Le seul lien qui unit encore cet esprit à son enveloppe passe donc par la douleur, jamais par le plaisir. Trop de chance…

Nous sommes arrivés en Corse, enfin. Je m'attendais à loger dans une baraque de richards comme on en voit dans le coin, genre vieilles caillasses et piscine à débordement, je me retrouve dans un château en ruine, dans les montagnes d'Alata, juste à côté d'Ajaccio. L'histoire de cet endroit me fascine. Ce château a été construit avec les restes d'un palais autrefois situé aux Tuileries et incendié par les Communards – si j'ai bien compris, une nouvelle génération de révolutionnaires – en 1871. Une dizaine d'années plus tard, au moment où il allait être complètement démoli, l'arrière-grand-père de monsieur Pozzo a acheté les pierres, les a fait transporter en Corse et a fait reconstruire le bâtiment à l'identique ! J'imagine le chantier, ou plutôt non, je n'imagine pas. Quand je vois de quelle façon ça se passe aujourd'hui... Les travaux de restauration de la toiture commencent. Il me semble que les gars ne sont pas très nombreux et qu'ils en ont pour au moins dix ans.

Nous logeons dans une tour située à proximité, on doit passer sur un pont suspendu pour y accéder, c'est le Moyen Âge. Je plaisante avec monsieur Pozzo, je l'appelle Godefroy de Montmirail. Il n'a pas vu *Les Visiteurs* ; je crois que les comédies franchouillardes ne l'attirent pas beaucoup.

Ses ancêtres reposent dans une chapelle à quelque cent mètres de nous. Monsieur Pozzo m'informe que sa place l'attend. Qu'elle attende... Éprouvé sans doute par le voyage chaotique, il tombe vraiment malade. Un blocage vésical dont il semble impossible de le délivrer. Pendant trois jours et trois nuits, je le vois souffrir comme jamais. Sur le chantier, les ouvriers tapent avec leurs marteaux. Ils s'interrompent de temps en temps, surpris par l'intensité des cris qui s'échappent de la tour. Vraiment, je n'ai jamais vu un homme pleurer autant.

— Il vaudrait mieux aller à l'hôpital, vous ne croyez pas...

— Non Abdel, s'il te plaît, je veux rester chez moi. Je ne veux pas manquer la fête.

On a prévu d'accueillir les gens du village auxquels il est attaché. Ils ont pleuré Dame Béatrice trois mois plus tôt, le comte entend les remercier. Mais il est cloué au lit et aucun antidouleur ne fait effet. Il n'y a qu'à l'hôpital qu'on pourrait le soulager. Il ne veut pas, je cède. Les enfants se sentent chez eux à La Punta, ils sont souvent venus ici en famille ; monsieur Pozzo se souvient de Béatrice en cet endroit chargé d'histoire et chargé de leur histoire, je ne me vois pas le priver de ces retrouvailles.

Il faut croire que j'ai fait ce qu'il fallait. Au matin de la fête, la souffrance s'est envolée. On organise un méchoui. Je vais chercher la bête, je la saigne et la fais rôtir, serviteur d'un autre âge. Les membres du chœur polyphonique d'Alata sont venus. Ils chantent en cercle, les uns tournés vers les autres, avec une main sur une oreille. Leurs voix graves résonnent dans les arbres et dans la nature. Il faudrait être une brute pour ne pas apprécier. Même à moi, ça fait quelque chose... La fête est magnifique, le seigneur trône dans son fauteuil, délivré de la douleur physique et d'un soupçon de sa peine.

⁂

Nous ne nous quittons plus.

J'accompagne monsieur Pozzo chez les médecins en Bretagne à Kerpape, le centre de rééducation où il a été pris en charge après son accident. Au personnel, il lance gaiement :

— Laissez passer le docteur Abdel.

C'est un homme reconnaissant.

J'accompagne monsieur Pozzo aux repas auxquels il est convié. Dans les restaurants, je fais déplacer les chaises et les tables, je fais dresser le couvert de telle sorte que je puisse lui donner à manger proprement. Il arrive qu'on oublie de me servir, moi, l'auxiliaire. Monsieur Pozzo précise poliment au chef de rang que je me nourris aussi.

Un dimanche, nous déjeunons dans une famille des plus traditionnelles. Les enfants portent le costume bleu marine et la chemise blanche, les filles une jupe plissée et un col Claudine. Ils disent une espèce de prière avant d'attaquer l'entrée. Un fou rire me prend. Je lance tout bas :

— On se croirait dans la famille Ingalls !

Monsieur Pozzo me regarde, paniqué.

— Abdel, reprends-toi ! Et c'est qui d'abord, la famille Ingalls ?

— Il faut parfaire votre culture ! C'est les gens de *La Petite Maison dans la prairie* !

Tout le monde m'a entendu autour de la table. Ils me regardent, outrés. Monsieur Pozzo a la gentillesse de ne pas s'excuser pour moi.

Je l'accompagne aux dîners qu'organisent les gens de son monde. Des Arabes, ils n'en connaissent pas beaucoup, à part peut-être leurs femmes de ménage. Ils m'interrogent sur ma vie, mes projets, mes ambitions.

— Des ambitions ? J'en ai pas !

— Enfin Abdel, vous avez l'air intelligent et travailleur, vous pourriez faire bien des choses.

— Je profite. C'est pas mal, de profiter. Vous devriez essayer, tous, vous auriez meilleure mine !

Au retour, monsieur Pozzo me sermonne.

— Abdel, grâce à toi, ils vont prendre tous les Arabes pour des paresseux et ils vont tous voter pour le Front national.

— Parce que vous croyez qu'ils ont attendu de me connaître pour le faire ?

⁂

C'est l'ouverture de la FIAC, la Foire internationale d'art contemporain. Le boss, collectionneur à ses heures, est invité au pré-vernissage par plusieurs galeries : l'inauguration sans la foule. On est entre nous, n'est-ce pas… Ces gens puent le fric et le mépris par tous les pores. Surtout, quel snobisme… Un mètre carré de moquette épaisse est posé à même le sol, au beau milieu d'un stand. Tiens, un paillasson rouge ! Mais pour quoi faire ? Ah non, Il y a une petite étiquette à côté. C'est le mode d'emploi : on n'est pas censé marcher dessus mais on a le droit d'y balader sa main. Et l'œuvre s'imprime, jusqu'à ce qu'une autre main la transforme, ou l'efface. Foutaises. Je suis plié, mais pas pour jouer à l'artiste. Je compte les zéros, alignés serrés et en tout petits caractères sur le bristol. On est dans les centaines de milliers de dollars. N'importe quoi !

— Ça te plaît, Abdel ?

Monsieur Pozzo a vu mon air atterré et il s'en amuse.

— Franchement, je vous emmène à Saint-Maclou et je vous achète le même pour cinq francs ! Et vous aurez le choix de la couleur, en plus !

Nous continuons notre petit tour des arnaqueurs. Une pelote de laine bleue lévite en haut d'une tige. C'est pour faire la poussière dans les coins ? Un vieux projecteur de diapositives s'enclenche bruyamment toutes les cinq secondes et envoie sur un mur une image de plage en noir et blanc. C'est de l'art, ça ? Les photos sont toutes pourries, on ne voit même pas les seins des filles ! Des traits de toutes les couleurs s'entrecroisent sur une toile. Ici ou là, il y a aussi des triangles, des formes de toutes sortes, des gribouillis... Je cherche à distinguer quelque chose, un sujet, un animal, un personnage, une maison, une planète... Je tourne la tête de tous les côtés, je me penche en avant et je regarde à l'envers entre mes deux cuisses. Même dans ce sens-là, je ne vois rien.

— C'est de l'art abstrait lyrique, Abdel.

— Lyrique comme la musique ?

— Comme la musique !

— Ouais. Ben ça me fait exactement le même effet ! Néant ! Et combien ça vaut en plus, cette croûte ? Oh là là ! Même vous, vous pouvez pas vous l'offrir, c'est dire.

— Si, je peux.

— Oui, mais vous ne voulez pas, hein ? Vous ne voulez pas ! Je vous préviens, hein, monsieur Pozzo : faudra pas compter sur moi pour planter le clou et nous mettre ça sous le nez du matin au soir !

Non, il ne veut pas. Il garde son fric pour les commodes. Parce qu'on fait les enchères pour les commodes, aussi. D'où lui vient cette manie d'accumuler les commodes ? Il ne sait même plus quoi mettre dans les tiroirs. Ça ne fait rien, il faut acheter des commodes… C'est vrai que dans un appartement de quatre cent cinquante mètres carrés, ça habille les murs. Il les repère dans les programmes des ventes, à Drouot ou ailleurs, et quand il n'est pas en forme, il m'envoie à sa place. Généralement, il le regrette : j'emporte toujours l'affaire, mais je dépasse souvent la somme maximale autorisée. Il soupire et se reproche son excès de confiance. Je joue le passionné.

— Mais monsieur Pozzo, celle-là, on pouvait pas la laisser passer ! Elle me plaisait trop !

— Veux-tu qu'on la fasse mettre dans ta chambre, Abdel ?

— Oh ben non… C'est gentil, mais ce serait dommage de vous en priver.

32

Je me suis fait arrêter au volant de la Jaguar. Je n'étais même pas en excès de vitesse, je n'avais grillé aucun feu. Deux policiers en civil m'ont serré contre le trottoir, gyrophare allumé, sirène hurlante. Ils ont vu un Maghrébin mal rasé et mal habillé dans une bagnole de luxe, ils n'ont pas cherché plus loin. Je me suis retrouvé couché sur le capot de la voiture sans avoir eu le temps de m'expliquer.

— Doucement, vous allez rayer la peinture... C'est la voiture de mon patron.

Les mecs ricanaient dans mon dos.

— Et d'où tu as un patron, toi ?

— Je suis son chauffeur et son auxiliaire de vie. Il est tétraplégique. Vous savez ce que ça veut dire, tétraplégique ? Té-tra-plé-gique ! Appelez-le si vous voulez ! Il s'appelle Philippe Pozzo di Borgo, il habite dans le XVIe arrondissement, avenue Léopold-II. Il y a le numéro de téléphone sur le contrat d'assurance, dans le vide-poches.

Ils m'ont redressé, mais j'avais toujours les menottes dans le dos et leurs regards haineux posés sur moi. Après vérification, ils m'ont relâché en me jetant les papiers de la voiture à la tronche.

Le lendemain, monsieur Pozzo riait de ma petite aventure.

— Alors Ayrton-Abdel, j'ai été réveillé par des policiers, cette nuit ! Ils ont été gentils avec toi, au moins ?

— Des anges !

J'ai cassé la Jaguar. Je l'ai dit, cette voiture est dangereuse : on ne sent pas la vitesse. Dans un virage, porte d'Orléans, je n'ai pas réalisé que je roulais trop vite pour prendre la courbe. J'ai passé la nuit au service radiologie des urgences et la Jaguar est partie directement à la casse. Je suis rentré tout penaud.

— Alors Ayrton-Abdel, j'ai encore été réveillé par des policiers, cette nuit…

J'ai tendu les clés à monsieur Pozzo.

— Je suis désolé, c'est tout ce qui reste.

— Tu vas bien ?

Un ange.

J'accompagne monsieur Pozzo à une nouvelle cession d'enchères dans l'automobile haut de gamme : il faut bien remplacer la Jaguar que j'ai fracassée. Nous avons décidé de nous offrir une Rolls-Royce Silver Spirit bleu marine, si chic, cinquante-quatre chevaux fiscaux, intérieur en cuir beige et tableau de bord en bois précieux. Quand on allume le moteur, l'insigne de la marque sort comme par magie. On dirait une sirène avec des ailes. Au début des enchères, je lève la main moi-même. Puis le commissaire-priseur comprend et guette les signes de tête de monsieur Pozzo. Il faut deux jours pour régler les formalités administratives. Je me fais déposer par un copain porte de La Chapelle et je rentre seul rue Léopold-II au volant de ce bijou.

Nous allons faire un tour sur les Champs sans tarder, nous longeons les quais de Seine, nous filons jusqu'aux portes de la Normandie, émerveillés par le silence qui règne dans la voiture, quelle que soit notre vitesse.

— C'est beau, hein, Abdel.

— Ah c'est beau, y a pas plus beau.

— Tu y feras bien attention, n'est-ce pas ?

— Évidemment !

Le soir, au pied de la cité Beaugrenelle, les potes doutent de la santé mentale de mon patron.

— Il est fou de t'avoir mis ça dans les mains !

J'emmène tout le monde en balade, les uns après les autres, on enchaîne les tours comme à la fête foraine. Mon père admire la carrosserie, ma mère refuse d'embarquer.

— C'est pas pour les gens comme nous, ces choses-là !

Je lui réponds que je ne sais pas ce que c'est, les gens comme nous. J'ajoute même que je ne vois pas pourquoi ça ne se serait pas pour moi, Abdel Yamine Sellou. Elle se marre.

— C'est vrai, Abdel, mais toi t'es pas comme nous !

Elle a raison. Je ne pense qu'à moi, je me sers des autres, je frime, j'utilise les femmes pour mon seul plaisir, je fais peur aux bourgeois, je méprise mon frère, mais j'aime ma vie avec Pozzo. Je joue avec Philippe Pozzo di Borgo comme un enfant joue avec ses parents : je tente des expériences, je pousse le bouchon toujours un peu plus loin, je cherche les limites, je ne les trouve pas, je continue. Je suis tellement sûr de moi, tellement imbu de moi-même, que je ne me rends même pas compte qu'il est en train de me transformer, l'air de rien.

33

Céline a quitté la maison. Elle pense à devenir maman, elle ne se voit pas cuisinière à vie pour deux adolescents qui n'aiment rien de toute façon, un tétraplégique constamment au régime et un type accro aux sandwichs grecs. Adieu Céline. Je me mets aux fourneaux pendant quelques jours. Tout se passe bien. Sauf que trois femmes de ménage démissionnent les unes après les autres, lassées de devoir ranger derrière moi matin, midi et soir… On accueille Jerry, un Philippin conseillé par une agence de placement. Il aurait fallu lui interdire l'accès au lave-linge. Il a entrepris de passer tous les costumes du patron à quarante degrés. Le résultat n'est pas beau à voir. Stoïque, vêtu d'un complet Dior, le dernier qui lui reste, monsieur Pozzo contemple les loques que le jeune homme a replacées dans la penderie, comme si de rien n'était.

— Abdel, j'ai ce moulage d'après Giacometti, dans le salon, tu sais, la grande tige près de la bibliothèque ? On pourrait lui passer la veste Hugo Boss, je pense qu'elle lui irait bien maintenant…

— Allez, monsieur Pozzo, c'est pas grave. Là où on va, vous aurez seulement besoin d'un bon gros bonnet de laine.

⁂

Nous partons en voyage. La tante Éliane, une petite femme très douce et très présente depuis la mort de Béatrice, entend confier son brave Philippe aux bons soins d'une congrégation de nonnes québécoises. Elle est de mèche avec le cousin Antoine qui verse copieusement dans les bondieuseries. Tous deux nous ont présenté le projet avec un argument lourd : ils ont parlé de « thérapie par l'amour ».

— Monsieur Pozzo ! Thérapie par l'amour ! C'est exactement ça qu'il vous faut, je vous l'ai toujours dit !

— Abdel, on ne parle pas tout à fait de la même chose…

Perso, j'ai tout de suite adoré l'idée. Comme d'habitude, je n'ai entendu que ce que j'avais envie d'entendre : l'histoire de monastère, de retraite, de séminaire et de sœurs capucines m'a échappé. Pour moi, le Québec n'est jamais qu'une extension de l'Amérique où les gens ont le bon goût de parler français. Je me vois déjà plongé dans la modernité, les grands espaces, cerné de Betty Boop, de Marilyn et de cornets de frites XXL. Et puisqu'on nous promet de l'amour, en plus… Laurence, la fidèle secrétaire de Philippe Pozzo, s'est invitée : elle est très portée sur la spiritualité, la méditation, tout ce flan.

Elle veut « faire pénitence », dit-elle. Pénitence, mais pour quoi ? J'ai toujours pensé que cette fille était un peu maso. Sympa, mais maso…

On atterrit à Montréal, on ne file pas directement chez les bonnes sœurs. Ce serait dommage de ne pas visiter le coin d'abord, non ? J'adore les restaurants, ici. Buffet à volonté, partout ! Afin de ne pas passer pour un goinfre en retournant me servir plusieurs fois, j'apporte les plateaux directement sur notre table. Monsieur Pozzo n'a pas encore renoncé à m'éduquer correctement, il me reprend.

— Abdel, ça ne se fait pas… Et puis tu prends du poids, non, ces temps-ci ?

— Que du muscle ! Tout le monde ne peut pas en dire autant.

— Touché, Abdel, touché…

— Ah non, monsieur Pozzo ! Je disais ça pour Laurence !

Pour nous déplacer, nous avons loué une superbe Pontiac beige. Superbe, mais pas rare : ici, tout le monde a la même. Ça ne fait rien, je vis mon rêve américain.

Sur la route du monastère, le boss me demande de m'arrêter pour aller lui acheter des cigarettes. Il a peur d'en manquer sur place. Il m'inquiète un peu.

— Si vous n'en avez plus, j'irai vous en acheter, c'est pas grave !

— Abdel, une fois là-bas, on ne bouge plus. On se met au rythme des capucines et on suit le programme du séminaire jusqu'à son terme. Jusqu'à la fin de la semaine.

— Le programme ? Quel programme ? Et quoi ? On sort pas de l'hôtel pendant huit jours ?

— Pas de l'hôtel, non, du monastère…

— Ouais, ben c'est un peu pareil, non ? Alors, combien de paquets ?

Je gare la Pontiac devant la vitrine d'un drugstore, je vais acheter sa drogue et je reviens vers la voiture. J'ouvre la portière côté conducteur, je me laisse tomber sur mon siège, je tourne la tête vers ma droite où je suis censé croiser le regard du boss. Il a changé de couleur. Et de sexe. C'est une énorme mama noire qui est assise là.

— Qu'est-ce que vous avez fait du petit têtard blanc qui était là y a une minute ?

Elle me regarde en levant les sourcils jusqu'à la racine de ses tresses.

— Non mais dites ! Et qui que vous êtes, vous, tout d'abord ?

Je jette un coup d'œil dans le rétroviseur. Dans la Pontiac garée juste derrière se trouvent monsieur Pozzo, hilare, et Laurence que je devine couchée sur le siège arrière, morte de rire, que Dieu ait son âme.

Je me sens tout con, tout à coup.

— Madame, je suis désolé. Vraiment, hein, vraiment désolé. Je ne voulais pas vous faire peur.

— Mais j'ai pas peur de vous du tout, espèce de p'tit blanc-bec !

Blanc-bec ! Elle m'a appelé blanc-bec ! Il aura fallu que je traverse l'Atlantique pour me faire traiter de blanc-bec ! Je retourne à la voiture, la queue entre les jambes. C'est vrai qu'elle n'avait pas l'air affolée… C'est vrai aussi que je dois bien faire cinquante kilos de moins qu'elle. Et je prends du poids à ce qu'il paraît ! J'ai de la marge !

⁂

Le monastère ressemble à un chalet savoyard : du bois partout, pas de barreaux aux fenêtres, un lac, des barques. Elles fournissent les cannes à pêche, les filles ? Philippe Pozzo fait partie des invités très spéciaux : normalement, les nonnes n'ouvrent leur maison qu'à des femmes. Comme dans les écoles autrefois : les filles d'un côté, les garçons de l'autre. Pas de mélange ! Mais un tétraplégique, c'est différent… Le boss est salement atteint dans sa virilité depuis son accident, je trouve assez indélicat de lui rappeler qu'il ne se mélange plus comme il veut. En ce qui me concerne, je suis admis au titre d'« auxiliaire », j'aime toujours autant le mot. J'ai eu le temps de réfléchir au sens qu'on lui donne : comme en matière de grammaire, l'auxiliaire n'a pas de fonction tant qu'il est seul. Il faut lui coller un verbe ou il n'est rien. J'ai, par exemple. J'ai quoi ? J'ai roulé. J'ai mangé. J'ai dormi. Là, d'accord. Je suis l'auxiliaire et monsieur Pozzo est le verbe. C'est lui qui roule, lui qui mange, lui qui dort. Mais sans moi, il n'y arrive pas. Ce que les nonnes ignorent, c'est que l'auxiliaire Abdel a une autonomie particulière dans la grammaire de la vie. Elles vont vite s'en rendre compte.

On m'attribue une chambre au rez-de-chaussée, juste à côté de celle de mon patron – non, on ne me fera pas admettre que ça s'appelle une cellule. La voiture est garée sur le parking, je suis serein : ce soir, mon verbe est « se coucher ». Dès que j'aurai mis monsieur Pozzo au dodo, je compte bien sortir par la fenêtre et rouler jusqu'à la ville la plus proche. En attendant, je joue le jeu. Comme d'habitude lorsque j'arrive dans un endroit que je ne connais pas, j'observe. Je place le fauteuil de mon patron au bord de l'allée dans l'église, je me cale contre un pilier à proximité et je dors d'un œil. De l'autre, j'observe. Les séminaristes ont toutes l'air un peu cassées, physiquement ou moralement, ou les deux. Elles sont tournées vers leur souffrance, elle ne les lâche pas, elle les accapare, et elles, elles essaient de s'en détacher par la prière. Je ne me sens pas concerné. Certaines sont condamnées au fauteuil, comme monsieur Pozzo. Je les regarde : il n'y a aucun doute pour moi que si c'était vers elles que l'ANPE m'avait envoyé, je ne serais pas resté. Elles paraissent vraiment trop malheureuses. Tous les fusibles ont sauté, il ne reste pas une seule ampoule allumée là-haut ! Alors que chez Pozzo, ça clignote. Ce type ne leur ressemble pas. C'est un guerrier-philosophe, un Jedi échappé de *Star Wars*... La force est en lui.

Au restaurant – non, on ne me fera pas admettre que ça s'appelle un réfectoire –, on ne parle pas. On mastique et on prie en même temps, c'est la règle. Est-ce qu'on a le droit de prier pour que ce qu'on mastique ait meilleur goût ? Quand je pense qu'il y a buffet à volonté à vingt minutes d'ici... monsieur Pozzo et moi avons pris le parti de ne pas nous regarder dans les yeux. Surtout pas ! On éclaterait de rire aussitôt. Il lit mes pensées et je lis les siennes. Nous ne sommes pas vraiment absorbés dans nos méditations et sincèrement, lui pas plus que moi. Une femme pasteur me regarde en coin. Elle a l'œil qui frise, celle-ci. Si vraiment elle n'est pas sage, je l'embarque dans la Pontiac et à nous les folles nuits québécoises !

Sauf que je ne peux pas sortir de la chambre par la fenêtre. Elle n'est pas verrouillée, il n'y a pas de barreaux, mais l'escalier de secours métallique atterrit juste devant mes vitres à l'extérieur. Si la baraque flambe, il y aura un mort, un seul. On priera pour son âme, on l'appellera Saint-Abdel... Je suis coincé. Il n'y a pas le moindre bruit, nous sommes perdus dans la campagne québécoise, une chouette hulule, une capucine ronfle, l'escalier de secours est solidement arrimé à la façade, il n'y a rien à faire. Je vais me coucher.

Le lendemain, j'adresse un clin d'œil à la femme pasteur qu'on croise dans le couloir. Elle nous répond franco :

— Salut ! C'est-y bien vrai que vous venez de France ?

Cette créature compte parmi les fidèles de Dieu. Elle a l'habitude de ce genre de séminaire. Elle tutoie les nonnes locales. Si elle s'autorise à parler aussi fort, c'est peut-être qu'elle connaît les règles, les vraies. Je croyais que la parole était proscrite ?

— Oui oui, on est bien parisiens... Dites, le régime verbal est sévère, ici !

— Allons donc, venez vous asseoir avec moi ce soir à la cantine. On fera connaissance...

⁂

De trois personnes – monsieur Pozzo, Laurence et moi –, notre groupe de chuchoteurs est ainsi passé à quatre. Puis à cinq, sept séminaristes. Puis à dix, quinze, vingt dès le milieu de la semaine ! On ne chuchotait plus, et ça riait fort autour de notre table. Les visages sur lesquels j'avais lu le plus de douleur, à notre arrivée, semblaient beaucoup plus détendus tout à coup. Seul un groupe d'irréductibles dépressives faisait encore bande à part à la fin de la semaine. Je les ai surnommés les peine-à-jouir. Les capucines, qui ne cherchaient pas plus que ça à nous faire taire, se marraient comme des bossues.

— Les filles, vous pouvez renommer votre stage.

— Comment, Abdel ? La « thérapie par l'amour », ça ne vous plaît pas ?

— Je crois que la « thérapie par l'humour » est beaucoup plus efficace.

34

Monsieur Pozzo donne régulièrement des conférences assommantes face à des étudiants des grandes écoles de commerce et là aussi, je l'accompagne. Il leur parle de « la brutalité des capitalistes », de « l'asservissement des salariés ou de leur exclusion », de « crises financières contre lesquelles les États sont impuissants et qui conduisent les salariés à plus de misère ». Il tutoie la masse des étudiants qui l'écoutent pour mieux atteindre chacun d'eux. J'ai calé son fauteuil sur l'estrade face à des blancs-becs de vingt ans en costume-cravate, je me suis posé sur une chaise à côté, la tête calée contre un mur, je ne l'écoute pas. Il m'assomme, je somnole. Mais de temps en temps, une phrase-choc, prononcée avec plus de conviction que les autres, me réveille.

— L'éthique c'est ton éthique, et l'action c'est ton action. C'est au fond de toi, dans ton intériorité, dans ton mystère, dans son silence, que tu trouves l'Autre et le terreau de ta morale.

Là, je me dis qu'il sait de quoi il parle. De quel silence, de quelle intériorité. De quel Autre. J'en suis un. Avant son accident, quand il était tout-puissant, quand il baignait dans le Pommery comme ma mère dans l'huile d'arachide, est-ce qu'il m'aurait seulement regardé ? Si je m'étais invité à une fête organisée par son insupportable gamine, je serais sûrement reparti avec l'ordinateur portable. Aujourd'hui, quand elle invite des petits merdeux de son espèce, c'est moi qui assure le service de sécurité.

Le grand sage immobile, esprit flottant au-dessus de sa misérable enveloppe charnelle, être supérieur délivré de la chair et des besoins terre à terre, en ajoute encore une couche :

— C'est après avoir trouvé l'Autre que ton regard et ton action dans la société vont s'organiser.

Franchement, il y croit ? Les gamins qu'il a en face de lui ne pensent déjà qu'à se bouffer les uns les autres, entre camarades de promo et fils de la haute ! Il faudrait que tous les grands patrons se viandent en parapente pour « trouver l'Autre » et respecter davantage les gens tels qu'ils sont...

D'accord, il faudrait peut-être aussi que les types de mon genre cessent de voler au ras des pâquerettes. Comme dit monsieur Pozzo, il faut ajouter aux mots solidarité, sérénité, fraternité et respect, le mot « humilité ». J'entends bien, mais moi, je suis le meilleur. C'est testé, prouvé, validé par le boss dix fois par jour. Alors l'humilité... Je me rendors.

⁂

Je commets des erreurs, des gestes maladroits, je me laisse emporter, mes mains frappent et ma bouche vomit parfois des phrases mauvaises. Monsieur Pozzo déménage pour un appartement au dernier étage d'un immeuble récent – mais de très haut standing, évidemment – dans le même quartier. Baies vitrées sur toute la longueur, plein sud, une étuve. Même pour lui, il fait trop chaud. L'ascenseur est assez large pour son fauteuil électrique et pour moi. Mais si une voiture se gare devant la porte, sur le trottoir très étroit, on ne peut pas sortir.

Un matin, à l'heure du café, nous sommes bloqués. Le propriétaire de la bagnole est debout, il discute avec un type au bord de la route. Je lui dis de bouger. Tout de suite.

— J'en ai pour une minute.

La minute passe.

— Vous dégagez votre bagnole immédiatement.

— Une minute, je vous dis !

Il mesure pas loin d'un mètre quatre-vingt-dix, cent kilos, je lui arrive à l'épaule. Je donne un coup de poing dans le capot. Ça fait une bosse à l'envers, juste au niveau du radiateur. Il commence à m'insulter. Je me fâche.

Quelques minutes plus tard, sur le chemin du café, Monsieur Pozzo me fait une leçon de morale minimaliste, à sa façon.

— Abdel, tu n'aurais pas dû…

C'est vrai, je me retrouve bientôt au tribunal. Le type a porté plainte pour coups et blessures, il a même fourni un certificat médical attestant qu'il a subi une ITT, une interruption du temps de travail, de huit jours. Je n'ai pas beaucoup de mal à convaincre le juge qu'un petit bonhomme comme moi, auxiliaire de vie auprès d'une personne tétraplégique, n'a pas pu infliger une correction à un colosse pareil. Relaxé. C'est qui le meilleur ?

Peut-être pas moi. Il m'arrive de porter monsieur Pozzo et de le laisser glisser. Ou bien je suis entraîné par son poids et je n'arrive pas à redresser le cap. Il se cogne au front. Je devrais plutôt dire : je le cogne au front. Je suis le seul responsable. Une bosse pousse aussitôt, comme si un œuf grandissait à vitesse accélérée sous sa peau. Exactement comme sur la tête du chat Sylvestre quand la souris lui file un coup de poêle à frire ! Je ne peux pas m'empêcher de rire. Je cours chercher un miroir, il faut qu'il voie ça avant que ça disparaisse. Certains jours, il rit avec moi. D'autres, pas du tout. Il dit :

— J'en peux plus, j'en peux plus d'être abîmé…

Parfois en effet, monsieur Pozzo en a marre. Dans ses conférences, il n'oublie jamais de mentionner le découragement auquel il ne faut jamais, jamais céder. Il peut être fier de moi : à part son corps, que je tiens parfois mal, je ne laisse jamais rien tomber.

35

Quand Mireille Dumas a proposé à Philippe Pozzo di Borgo de réaliser un reportage sur lui, et donc sur nos rapports à tous les deux, elle s'est d'abord tournée vers lui. Elle s'est adressée à lui comme on s'adresse au Parrain, avec déférence et respect. Nous étions en 2002, il venait de publier son premier livre, il était le propriétaire de son histoire et, au-delà, de notre histoire à tous les deux. La productrice n'a pas consulté directement le jeune Abdel dont il parle en termes pas toujours flatteurs dans son bouquin. Heureusement, d'ailleurs : je ne réponds pas au téléphone quand je ne connais pas le numéro qui s'affiche, je ne rappelle pas quand la voix sur le répondeur ne me plaît qu'à moitié, j'ignore superbement les e-mails qui encombrent ma messagerie.

C'est monsieur Pozzo lui-même qui m'a demandé de participer au documentaire qui lui serait consacré. J'ai donné la seule réponse possible quand cet homme-là me pose une question, quelle qu'elle soit : oui.

Mireille Dumas et son équipe ont été vraiment sympas, l'exercice ne m'a pas pesé. Sur le plateau de l'émission, « Vie privée, vie publique », monsieur Pozzo et moi nous sommes retrouvés assis côte à côte, questionnés par la journaliste, sur un plan d'égal à égal. Je n'étais pas mal à l'aise, mais pas particulièrement fier non plus. Je fixais le décor, j'essayais de répondre correctement, naturellement, sans bredouiller, sans me forcer. Je me suis entendu prononcer le mot « amitié ». Malgré son insistance, je vouvoyais toujours mon « ami ». Je lui donnais du monsieur. Pour une raison que j'ignore, j'étais incapable de l'appeler par son prénom. C'est toujours le cas aujourd'hui, d'ailleurs. Pourtant, dans le titre de ce livre, le « tu » est venu naturellement, comme un cri du cœur...

Le lendemain de l'émission, nous avons appris par la production qu'elle avait connu un pic d'audience formidable au moment de notre passage. J'étais incrédule, mais toujours pas fier. Comme le dit très justement Pozzo, je suis « insupportable, vaniteux, orgueilleux, brutal, inconstant, humain », mais je ne cherche pas la gloire, je n'aimerais pas qu'on me reconnaisse dans la rue et je ne me vois pas signer des autographes. Ce n'est pas une question de modestie : je n'en ai pas. C'est juste que je n'ai rien fait pour mériter l'admiration d'inconnus. J'ai poussé un fauteuil, j'ai anesthésié au pétard un homme dont les souffrances semblaient intolérables, je l'ai accompagné pendant quelques années pénibles. Pénibles pour lui, pas pour moi. J'ai été, dit-il, son « diable gardien ».

Franchement, ça ne m'a pas coûté grand-chose, ça m'a même rapporté beaucoup, et encore une fois, pour reprendre cette formule qui justifie l'incompréhensible : on n'est pas des chiens, quand même...

Plus récemment, lorsque plusieurs équipes de réalisateurs successives ont projeté d'adapter notre histoire au cinéma, je n'ai pas dit oui directement non plus. J'ai été consulté, évidemment, mais je ne pouvais donner qu'une seule réponse : la même que le Parrain. Je n'ai pas demandé à lire le scénario, je n'ai pas demandé qui jouerait le rôle de l'auxiliaire de vie. Je me sentais proche de Jamel Debbouze, mais je comprenais qu'il n'était pas l'homme de la situation ! J'ai découvert après le tournage que j'avais de nombreux points communs avec Omar Sy : non seulement il a grandi dans une cité de Trappes mais il a été élevé par d'autres parents que les siens. Lui aussi a été offert en cadeau. Je l'ai rencontré pour la première fois à Essaouira où Khadija – la nouvelle épouse de Monsieur Pozzo – avait organisé une fête d'anniversaire surprise pour les soixante ans de son mari. Il s'est assis à côté de moi, très simple, ouvert, nature. On s'est parlé comme si on se connaissait depuis toujours.

Le film m'a surpris. En même temps que je regardais chaque scène sur l'écran, je revoyais les moments tels que je les avais vraiment vécus. Je me suis revu à vingt-cinq ans, face aux flics, leur expliquant que mon patron faisait une crise d'hypertension et qu'il fallait l'emmener fissa à l'hôpital, une question de vie ou de mort ! Je me suis demandé : *Mais, j'étais vraiment inconscient à ce point ? Et pourquoi il m'a gardé près de lui ?* Je crois que ni lui, ni moi, ni personne ne sera jamais en mesure de comprendre un truc aussi dingue. Quand j'ai sonné à sa porte, je n'étais pas encore un type généreux. Il se trouve qu'Olivier Nakache et Éric Tolédano ont créé un double de moi. Un autre Abdel, mais en mieux. Ils ont fait de mon personnage une vedette du film autant que le personnage de Philippe, incarné par François Cluzet. C'était évidemment le meilleur moyen de transformer le drame en comédie et d'accéder ainsi au vœu de monsieur Pozzo : faire rire de son malheur pour éviter la pitié et les sentiments à deux balles. Je ne crois même pas avoir signé un contrat avec la production du film. Mais pourquoi est-ce que j'en aurais signé un ? Qu'est-ce que je leur ai cédé, moi, Abdel Yamine Sellou ? Quelques vannes, tout au plus. Et même ces vannes, elles appartiennent à monsieur Pozzo puisque c'est lui qui les a suscitées. Dans la vraie vie, je ne suis pas son partenaire à part égale, à peine un second rôle, tout juste un figurant. Je ne suis pas modeste : je suis le meilleur. Mais ce que j'ai fait, réellement, c'était facile.

Après la télé, après le cinéma, ce sont les éditeurs qui se sont tournés vers moi. Directement cette fois. « On connaît Driss, on veut connaître Abdel », m'ont-ils dit. Je les ai mis en garde : le petit Arabe au ventre grassouillet est peut-être un peu moins sympa que le grand Noir aux dents Diamant. Ils se sont marrés, ils ne m'ont pas cru. Tant pis pour eux… Je suis joueur, j'ai dit *banco*. Et me voilà parti à raconter ma vie, dans l'ordre ou à peu près. D'abord Belkacem et Amina, à qui je n'ai pas fait que du bien, je m'en rends compte maintenant. Maintenant seulement, à quarante ans passés, bravo Abdel… L'insolence, la roublardise, la prison. C'est bon, Abdel, lève la tête, fais le fier. Dis-leur à tous : même pas mal ! Monsieur Pozzo enfin. Monsieur Pozzo enfin et surtout, Monsieur Pozzo avec un grand M, un grand P, tout en grand, de l'intelligence au coffre-fort en passant par la dignité.

Et tout à coup, c'est là que ça coince.

Qui je suis, moi, pour parler de lui ? Je me rassure, je me console, je m'excuse moi-même : ce que je viens de raconter là, monsieur Pozzo lui-même ne le cache pas. C'est lui qui a voulu que François Cluzet, lors de leur première rencontre, assiste aux soins qu'il doit subir quotidiennement. Les escarres, ces morceaux de peau morte qu'on découpe aux ciseaux, la sonde… On ne reprochera pas son absence de pudeur à un homme tétraplégique : puisqu'il ne contrôle plus son corps, celui-ci ne lui appartient plus, il appartient aux médecins, aux chirurgiens, aux aides soignantes, aux infirmières et même aux auxiliaires de vie qui s'en emparent. Il appartient à l'acteur chargé de jouer le rôle, aux spectateurs priés de comprendre. Comprendre la morale de l'histoire : que perdre son autonomie physique n'est pas perdre la vie. Que les handicapés ne sont pas des bêtes curieuses qu'on peut dévisager sans rougir, qu'il n'y a pas lieu de fuir leur regard non plus.

Mais qui je suis, moi, pour parler de souffrance, de pudeur, de handicap ? J'ai juste eu plus de chance que la masse des aveugles qui n'avaient rien vu avant de voir *Intouchables*.

Je me suis mis au service de Philippe Pozzo di Borgo parce que j'étais jeune, jeune et con, parce que je voulais rouler dans de belles bagnoles, voyager en première classe, dormir dans les châteaux, pincer le cul des bourgeoises et me marrer de leurs petits cris offusqués. Je ne regrette rien. Ni mes motivations d'hier, ni celui que je suis encore. Mais j'ai pris conscience d'une chose en racontant ma vie dans ce livre : c'est que j'ai fini de grandir auprès de Monsieur Pozzo, avec un grand M et un grand P et tout en grand, de l'espoir à l'appétit de vivre en passant par le cœur. Voilà que je deviens lyrique à mon tour, comme l'art abstrait…

Il m'a offert son fauteuil à pousser comme une béquille sur laquelle m'appuyer. Je m'en sers encore aujourd'hui.

V

Nouveau départ

36

Après quelques années à ses côtés, j'ai dit stop à monsieur Pozzo.

Croiser ses bras sur son ventre, basculer son torse en avant, le porter jusqu'à son fauteuil, déplier ses membres comme le papier d'une plaque de chocolat, les poser dans le bon ordre, lui enfiler des chaussures de jogging dont la semelle resterait neuve pour toujours… J'ai dit stop.

— Quoi, stop ? Abdel, tu me laisses tomber ?

— Non, je vais continuer, mais je peux pas considérer que c'est ça mon travail. Alors je vais continuer tout ça, vous pouvez compter sur moi, mais vous et moi, on va faire autre chose. On va s'associer.

— Abdel, c'est moi qui ai besoin de toi. Pas l'inverse.

— Bien sûr que si, j'ai besoin de vous ! Je voudrais qu'on monte une affaire ensemble. Moi, j'ai les bras, j'ai la tchatche, mais j'ai pas les manières. La paperasse, les comptes, j'y connais rien. Faire des courbettes aux banquiers, pareil, je saurai pas faire. Vous, si.

— Pour les courbettes, mon cher Abdel, tu présumes un peu de ma souplesse.

Il a trouvé une idée géniale, au point qu'en la lançant je dis partout qu'elle est de moi : la location de voitures à des particuliers avec livraison du véhicule où ils veulent. Plus besoin de se déplacer jusqu'à une agence : le client téléphone, il donne son adresse, on lui apporte les clés chez lui et on repart par nos propres moyens. La boîte s'appellera Téléloc, elle appartiendra à monsieur Pozzo et à lui seul, je ne serai là que pour apprendre.

Pour commencer, le boss décide qu'on se passera des banquiers.

— Comment ça ? Il va falloir acheter une vingtaine de bagnoles, quand même !

— Ne t'inquiète pas Abdel, j'ai quelques économies.

— Quelques économies ? Ah oui, comment vous appelez ça, déjà ? Un œuf…

— Un euphémisme.

J'adore apprendre de nouveaux mots.

Monsieur Pozzo n'émet qu'une seule et unique condition à ma présence dans sa société : que jamais je ne monte derrière le volant d'une des voitures de location.

Car j'ai aussi cassé la Rolls-Royce. Encore une fois, je n'y suis pour rien. Le chauffage marche trop bien dans ce palace à quatre roues et monsieur Pozzo avait froid, comme toujours. On roulait de nuit, vers le sud de la France, il faisait bien vingt-huit degrés dans l'habitacle. Comment aurais-je pu ne pas m'endormir ? On a entendu une sorte de « crac boum », celui de la carrosserie qui percutait le pare-chocs d'une vieille Golf. J'ai aussitôt perçu un deuxième son bizarre, plutôt du genre « tchong ! ». Celui de la tête de mon passager, allongé à l'arrière, propulsé contre les sièges avant. Les pompiers sont arrivés, ils se sont d'abord intéressés à moi.

— Vous vous sentez bien, monsieur ?

— Impec'...

Ils sont ensuite allés voir derrière. Ils ont ouvert la porte, ils ont vu le corps de monsieur Pozzo, ils s'en sont désintéressés aussitôt.

— Y a un macchabée à l'arrière !

Bonjour la délicatesse. J'ai remis monsieur Pozzo sur la banquette, j'ai tamponné la bosse qui poussait sur sa tempe, j'ai redressé la carrosserie avec une barre de fer et nous avons continué notre route.

— Ça va, Abdel ? Tu t'étais endormi ?

— Pas du tout ! C'est cette bonne femme, devant, elle m'a fait une queue-de-poisson !

Chapitre premier : Abdel a toujours raison.

Chapitre deux : quand Abdel a tort, se référer au chapitre précédent.

Je n'ai jamais prétendu que j'étais de bonne foi.

⁂

Nous louons des bureaux à Boulogne pour y installer Téléloc. Trois pièces. La première sert de dortoir pour le personnel : Youssef, Yacine, Alberto, Driss. Ce sont les potes de la cité, ceux de la pizzeria, ceux du Trocadéro. Tous n'ont pas de papiers – ni de permis de conduire, ça va de soi –, ils vivent là vingt-quatre heures sur vingt-quatre, les couvertures s'entassent sur le sol, un fond de café moisit dans une tasse, le thé à la menthe infuse en continu. Une deuxième pièce sert de bureau à Laurence qu'on a embauchée pour accomplir toutes les tâches requérant deux mains valides et un cerveau. La troisième pièce, qui comporte un point d'eau, sert de cuisine, de salle de bains... et de niche pour les deux pitbulls de Youssef qui arrosent copieusement la moquette. Dans cet environnement, la pauvre Laurence devient chèvre.

— Abdel, tu dis à Youssef d'aller faire pisser ses chiens ailleurs ou j'arrête.

— Laurence, tu voulais faire pénitence ! C'est l'occasion ou jamais !

Elle a de l'humour, elle se marre.

L'aventure dure quelques mois. Le temps d'envoyer quelques bagnoles au garage. D'accumuler les réclamations des clients : les véhicules arrivent sales, le réservoir vide, et nos livreurs poussent parfois la maladresse jusqu'à demander à ce qu'on les redépose à Boulogne... ou ailleurs ! Le temps de recueillir les plaintes des voisins (les pitbulls arrosent aussi l'ascenseur). Le temps de me faire cueillir par la police.

— Abdel, on ne met pas les clients dans le coffre, m'explique monsieur Pozzo après m'avoir délivré.

Le bonhomme en question avait loué une voiture, il refusait de nous la rendre. Je suis allé la chercher moi-même avec Yacine. Nous avons seulement voulu donner une petite leçon au voleur.

D'ailleurs, il a reconnu sa faute puisqu'il n'a pas porté plainte contre nous.

— Abdel, ça n'est plus possible. Cette société, ce n'est plus Téléloc, c'est Téléchoc ! Tu es conscient qu'il va falloir la liquider ?

⁂

Ce Parrain-là est grand seigneur. Il ne profère jamais de menaces, il ne demande pas à voir les livres de comptes.

— Monsieur Pozzo, on tente autre chose ?

Il est joueur, peut-être encore plus que moi.

— Tu as une idée, Abdel ?

— Ben… Les enchères, y a du fric à se faire, non ?

— Avec les voitures, encore ?

— Non, je pense plutôt aux enchères dans l'immobilier…

Les ventes à la bougie.

Il s'agissait de trouver des appartements en mauvais état, de les retaper et de les revendre aussitôt, empochant au passage une jolie plus-value. Malheureusement, Alberto, Driss, Yacine, Youssef et ses pitbulls n'étaient pas plus doués pour la plomberie et la peinture que pour la conduite. Monsieur Pozzo m'a rapidement réorienté vers une activité dans laquelle nous pourrions nous contenter de nos seules compétences. Il avait aussi un autre objectif : changer de climat.

— Abdel, Paris ne me convient plus. Trop froid, trop humide… Tu n'aurais pas une destination plus ensoleillée à me proposer ?

— C'est pas ce qui manque. Les Antilles ? La Réunion ? Le Brésil ? Oh ouais… Le Brésil…

Je me vois déjà sirotant un jus de goyave sur une plage de rêve, cerné par des *garotas* en string.

— Le Brésil, Abdel, c'est un peu loin quand même. Mes enfants sont grands, mais j'aimerais rester à deux ou trois heures d'avion maximum. Tiens, si on allait voir ce qu'on peut faire au Maroc ?

— Au Maroc ? Génial, j'adore le Maroc !

C'est vrai. J'ai toujours trouvé que le couscous était meilleur chez la mère de Brahim.

37

Au Maroc, je connais le roi. On est très amis, on s'est déjà rendu bien des services, je sais que je peux compter sur lui pour organiser notre séjour dans son pays. Je parle d'Abdel Moula Ier, le roi de la dinde. Nous nous sommes rencontrés à Paris dans les circonstances troubles de la rue. La vie dans son pays d'origine lui réussit davantage.

Monsieur Pozzo et moi atterrissons à Marrakech. Un air doux nous enveloppe dès notre descente de l'avion, on aperçoit déjà des palmiers.

— C'est bon ça ! Pas vrai, monsieur Pozzo ?

Une limousine nous attend. Magnifique.

— C'est beau ça ! Pas vrai, monsieur Pozzo ?

Nous nous rendons à l'adresse que nous a indiquée mon ami… Un riad. Il est fermé à clé, et je n'ai pas la clé.

— C'est con ça ! Pas vrai, Abdel ?

Il ne m'aura pas. Je connais une adresse. Un autre riad dans la Médina. On se fait débarquer par la limousine sur la place Jemaa-el-Fna, les charmeurs de serpents s'écartent en voyant le fauteuil que je traîne plus que je ne le fais rouler jusque dans une ruelle. Le sol est en terre battue. Les piétons marchent collés au mur à droite, les vélos filent sur la voie de gauche, nous, on se met en plein milieu. On zigzague entre les nids-de-poule. Monsieur Pozzo regrette déjà le voyage. Il le regrette encore plus quand il réalise que la seule chambre située au rez-de-chaussée dans le riad est ouverte sur le patio et ne bénéficie d'aucun moyen de chauffage. Je lui sors à nouveau ma blague préférée :

— Je vais chercher des radiateurs électriques. Ne bougez pas de là !

— Je ne bouge pas, Abdel, je ne bouge pas...

Il se trouve que j'ai eu un petit contretemps. Une histoire de poing – un des miens – lancé dans la tronche d'un gardien de parking peu serviable. Mais quand je reviens, enfin, j'ai de quoi transformer la piaule en étuve. Il y a urgence. Monsieur Pozzo grelotte de tout son corps.

— Ben vous voyez que vous bougez encore !

Dès le lendemain, on se lance dans un périple à travers le pays. Mes talents de conducteur sont mis à rude épreuve. On se plante plusieurs fois mais ce n'est jamais ma faute : on n'a pas idée de mettre autant de neige sur les routes de l'Atlas ni autant de sable dans le désert ! On s'arrête enfin à Saïdia, dite « la perle bleue de la Méditerranée », située à l'extrême nord-est du pays, tout près de mon Algérie natale. Une plage de rêve, des hôtels gigantesques par dizaines, et rien à faire. Donc tout à faire ! Nous envisageons de monter un parc de loisirs pour les vacanciers. Il faut trouver un terrain, obtenir les autorisations nécessaires auprès du préfet, lequel est difficilement joignable. Les journées s'étirent, pas forcément efficaces.

À l'accueil de l'hôtel où nous logeons, il y a une très jolie jeune femme. Quand je croise son regard, il se passe quelque chose. Quelque chose de nouveau. Quelque chose qui m'arrête. Qui me pose là. Qui me cloue le bec. Tiens, ça me rappelle l'espèce de malaise que j'avais ressenti en débarquant pour la première fois chez Philippe Pozzo di Borgo. Je me raisonne. Nous sommes de passage ici.

« Abdel, tu étais aussi de passage rue Léopold-II, tu te souviens ? » ricane un Jiminy Cricket en moi. Je lui réponds sèchement d'aller se faire cuire un œuf chez Pinocchio. J'ai dû penser tout haut. La belle standardiste me dévisage et elle éclate de rire. Elle doit me trouver complètement taré. C'est mal barré.

Monsieur Pozzo et moi prenons notre projet au sérieux mais il nous apparaît très vite qu'il nous faudra des mois pour le concrétiser. Nous rentrons à Paris et nous mettons Laurence dans le coup (pour tout ce qui nécessite deux mains valides et un cerveau, encore une fois). Nous multiplions les allers-retours. Nous descendons toujours dans le même hôtel, évidemment. Chaque fois, la belle fille de l'accueil me sourit, attentionnée, distante, mystérieuse. Je suis comme un imbécile devant elle.

Elle me dit :

— Abdel Yamine, tu me plais.

Et puis :
— Abdel Yamine, tu me plais beaucoup.
Et enfin :
— Abdel Yamine, si tu me veux, il faut m'épouser.
Voilà autre chose... Elle fait partie d'une nichée de frangines. Jamais un grand frère ne l'a fait taire, elle mène sa vie comme elle l'entend, elle fait ses propres choix. Elle demande à monsieur Pozzo :
— Selon vous, c'est une bonne idée que j'épouse Abdel Yamine ?
Il lui donne sa bénédiction, comme un père. Mais comme le père de qui ? Le sien ou le mien ?

⁂

La belle fille s'appelle Amal. Nous avons trois enfants : Abdel Malek est né en 2005. Je considère que c'est l'intello de la famille : toujours sage, il apprend bien ses leçons et ne tape pas beaucoup sur les plus petits. Notre deuxième fils, Salaheddine, est arrivé un an plus tard. Il a eu de graves problèmes de santé à sa naissance, il a dû subir plusieurs opérations lourdes, c'est un battant. Entre nous, on l'appelle Didine, mais il a quelque chose de Rocky Balboa. Je me reconnais en lui, je lui promets une belle carrière de voyou, ça fait bondir sa mère. Enfin notre fille Keltoum nous a rejoints en 2007, elle a de beaux cheveux bouclés, elle est rusée comme un renard, elle est le charme et l'espièglerie réunis. J'aurais pu l'appeler Candy. Pour l'instant, Amal a décidé qu'on s'arrêterait là. C'est elle qui décide.

⁂

Lors d'une escale à Marrakech, monsieur Pozzo, lui, a rencontré une perle prénommée Khadija. Ils se sont installés ensemble à Essaouira, sur la côte, où il ne fait jamais trop chaud ni trop froid. Ils élèvent deux petites filles, qu'ils ont adoptées. Ils sont bien. Je vais souvent les voir, seul ou avec ma famille, pendant les vacances. Les enfants jouent tous ensemble dans la piscine, la maison résonne de leurs cris et de leurs rires, il y a de la joie, de la vie. Sur les routes marocaines, si je prends le volant, je ne roule jamais très vite…

Notre projet de parc de loisirs à Saïdia n'a jamais vu le jour, mais franchement, qu'est-ce qu'on s'en fiche !

38

J'avais déjà dit stop à monsieur Pozzo quand j'ai eu mon accident. Je n'étais plus son employé. J'étais encore présent à ses côtés, je le conduisais toujours où il devait aller, j'accomplissais tous les jours chacune des tâches que j'avais appris à accomplir depuis trois ans, mais je n'étais plus son auxiliaire de vie. J'étais seulement dans sa vie.

En octobre 1997, au début des vacances de la Toussaint, il m'avait demandé d'emmener son fils Robert-Jean chez sa grand-mère en Normandie. Le gamin est monté à l'arrière, toujours aussi discret et sympa. Yacine avait envie de prendre l'air, il s'est assis à côté de moi. J'ai pris le volant de la Safrane, *ma* Safrane (j'avais revendu la Renault 25 pour le modèle au-dessus). On n'est pas allés bien loin : porte Maillot, juste à la sortie du tunnel en direction de La Défense, la voiture s'est arrêtée net. Panne de moteur, comme ça, sans prévenir, en plein sur la voie du milieu. J'ai enclenché les warnings, les autres automobilistes nous ont d'abord klaxonnés, le temps de comprendre qu'on ne cherchait pas à leur pourrir la vie, puis ils nous ont contournés par la droite comme par la gauche. Un véhicule de sécurité de la route est rapidement arrivé. Deux hommes en combinaison fluo ont installé des plots autour de la Safrane pour guider la circulation. Il ne restait plus qu'à attendre.

Yacine et Robert-Jean sont restés à l'intérieur. Moi, je me suis appuyé sur la portière côté conducteur, je guettais la dépanneuse. Je ne m'inquiétais pas, je ne me sentais pas en danger. Pendant dix bonnes minutes, j'ai vu les véhicules qui passaient sur la file de gauche devant moi, à un bon mètre cinquante, au-delà des cônes orange vif qui leur indiquaient le chemin. Puis j'ai vu un semi-remorque qui nous contournait également par la gauche. Enfin j'ai vu l'arrière du camion qui se rapprochait de la Safrane, et donc de moi. Le chauffeur s'était rabattu un peu trop tôt. J'ai été pris en sandwich entre sa remorque et la Safrane. J'ai juste eu le temps de crier, je me suis étalé par terre, j'ai perdu connaissance un moment.

Je me souviens vaguement que j'ai été embarqué dans une ambulance. J'ai ressenti une douleur tellement violente quand on m'a soulevé et posé sur le brancard que j'ai replongé dans l'inconscience. Je me suis réveillé à l'hôpital de Neuilly avec la promesse d'être opéré le lendemain. Philippe Pozzo di Borgo a débusqué un nouvel auxiliaire de vie dare-dare. J'imagine comme le pauvre type devait se sentir accueilli dans son nouveau job ! Son patron lui demandait de le conduire à l'hôpital pour tenir compagnie à son prédécesseur dans le poste. On l'envoyait chercher un chocolat à la cafétéria pour s'en débarrasser.

— Alors, il est comment, le nouveau ?
— Il est… professionnel.
— C'est pas l'as de la déconne, quoi…
— Et toi Abdel, tu deviens l'as de l'euphémisme !
— Eh oui… C'est qui le meilleur ?
— C'est toi Abdel. C'est toi quand tu tiens debout !

L'hôpital qui se fout de la charité… Il fallait voir le tableau. L'aristocrate tétraplégique et le petit Arabe à la hanche en miettes, côte à côte dans leur fauteuil en train de mater les infirmières…

— Tu en as pour combien de temps, Abdel ?
— Quelques semaines, au moins. Les médecins ne sont pas sûrs que cette opération tienne longtemps. Pour l'instant, j'ai évité la prothèse, mais il y a un problème de ligaments, je sais pas quoi…
— Tu es toujours le bienvenu chez moi, tu sais ça ?
— Évidemment, je suis le meilleur !

C'est pas toujours facile de dire merci…

⁂

Quelques mois après cet accident, j'ai repris le travail, ou plutôt mon association avec monsieur Pozzo. C'est là que nous avons lancé Téléloc, puis les achats d'appartements à la bougie, enfin le projet au Maroc. Pendant toutes ces années, j'ai dû m'arrêter à plusieurs reprises pour être réopéré, sans compter les semaines de rééducation. Je n'avais même pas trente ans, je me trouvais un peu jeune pour faire partie des invalides de seconde catégorie, le cran juste en dessous de monsieur Pozzo. La Sécurité sociale m'écrivait que je n'avais pas le droit de travailler, trop dangereux pour ma santé ! Je trouvais ça un peu fort, quand même... Preuve que j'avais déjà changé. Mais je ne l'aurais jamais admis. Je fanfaronnais, comme toujours, sans penser ce que je disais.

— Fini les bêtises Abdel, tu vas découvrir ce qu'est la vie, me répétait monsieur Pozzo.

— C'est vrai, je vais en profiter encore plus ! Maintenant que je suis tout cassé, je vais être payé à ne rien faire. À moi la belle vie !

Il faisait tout ce qu'il pouvait pour me mettre un peu de plomb dans la cervelle. Je m'efforçais de lui faire croire qu'il n'y parvenait pas. ftre payé pour rester chez moi ne m'intéressait déjà plus : je ne tenais pas en place !

Monsieur Pozzo me parlait comme un père, un conseiller, un sage, il essayait de m'enseigner l'ordre et la morale, valeurs qui m'étaient complètement étrangères depuis toujours. Il y allait en douceur, avec intelligence, pour ne pas me braquer comme m'avaient braqué les instituteurs, les policiers, les juges. Il me parlait avec bienveillance et de façon désintéressée. Il voulait que j'obéisse aux lois. C'était un peu pour protéger la société, sûrement, mais surtout pour me protéger d'elle. Il avait peur que je me mette en danger, que je m'expose à nouveau à la justice, à l'enfermement, et aussi à ma propre violence. Je lui avais sans doute lâché, dans un moment de faiblesse ou de frime, que j'avais fait un séjour à Fleury-Mérogis. Je ne sais pas s'il m'avait cru ou non, mais il ne m'avait pas interrogé davantage. Il savait depuis notre première rencontre que je ne répondais pas aux questions, ou que je répondais n'importe quoi. Il savait qu'il fallait me laisser venir et que je ne venais pas forcément. Il savait que j'étais incontrôlable, mais il me maintenait dans les rails de l'acceptable. Entre ses mains immobiles, c'était moi le pantin, le jouet, l'animal, la poupée. Abdel Yamine Sellou, le premier G.I. Joe téléguidé de l'histoire.

39

De moi, je dis ce que je veux, quand je le veux, si je le veux. Une vérité cache un mensonge. Une autre vérité paraît tellement grosse qu'elle passe pour un mensonge. Les mensonges s'accumulent et sont tellement énormes qu'on finit par se demander s'ils ne cachent pas une certaine vérité… Je dis vrai, je dis faux, bien malin qui s'y retrouve. Mais il arrive que je me laisse avoir. Les journalistes qui m'ont interviewé pour le documentaire de Mireille Dumas n'ont pas obtenu toutes les réponses à leurs questions mais ils ont su contourner l'obstacle de mon obstination. Ils ont filmé mes silences. Ils ont cadré mon visage en plan serré. Ils ont capté un regard posé sur monsieur Pozzo. Et ces images, à elles seules, en disaient long. Plus long que ce que j'aurais voulu admettre par des mots.

Quand j'ai accepté la proposition de faire ce livre, je pensais naïvement que je pourrais continuer sur la même voie que j'emprunte depuis toujours : pas de caméras, pas de micros ce coup-ci. Je dis ce que je veux, je me tais si je veux ! Avant de me lancer dans l'exercice de ce récit, je n'ai pas réalisé que j'étais prêt à parler. À expliquer aux autres, en l'occurrence à des lecteurs, ce que je ne m'étais encore jamais expliqué à moi-même. Je parle d'expliquer, encore une fois, je ne dis pas « justifier ». On aura compris que je verse volontiers dans l'autosatisfaction, pas dans l'apitoiement. J'ai horreur de cette manie qu'ont les Français de tout analyser et de tout pardonner, même l'impardonnable, sous le prétexte d'une culture différente, d'un défaut d'éducation, d'une enfance malheureuse. Je n'ai pas eu une enfance malheureuse, au contraire ! J'ai grandi comme un lion dans la savane. J'étais le roi. Le plus fort, le plus intelligent, le plus séduisant. Quand je laissais la gazelle boire à la source, c'est que je n'avais pas faim. Mais quand j'avais faim, je fondais sur elle. Enfant, on ne me reprochait pas plus ma violence qu'on ne reproche au lionceau son instinct de chasseur. Ce serait ça, une enfance malheureuse ?

C'était juste une enfance qui ne préparait pas à devenir adulte. Je ne m'en rendais pas compte et mes parents non plus. Personne n'est à blâmer.

Je n'ai jamais parlé de mon passé à monsieur Pozzo. Il a essayé, pudiquement, de m'amener à me raconter. Je me lançais sur le ton de la blague, il entendait que je refusais toute forme d'introspection, il n'insistait pas. Il me lançait des pistes, l'air de rien.

— Retourne voir ta famille.

— Rapproche-toi de ceux qui t'ont nourri.

— Va visiter ton pays d'origine.

Et, dernièrement :

— Cette proposition d'écrire un livre, accepte-la. C'est l'occasion de faire le point avec toi-même. C'est intéressant, tu verras !

Il savait de quoi il parlait. Avant son accident, il fonçait à deux cents à l'heure sans regarder en arrière, jamais. Immobilisé du jour au lendemain, soumis à dix-huit mois de rééducation dans un centre spécialisé, cerné par des hommes et des femmes aussi malheureux que lui – et parfois plus jeunes –, il a fait le point. Il a découvert qui il était, lui, profondément, et il a appris à regarder l'Autre, avec une majuscule comme il dit, et qu'il n'avait pas eu le temps de voir jusque-là.

Dans mes silences et dans mes blagues, Philippe Pozzo voyait mon refus de ralentir. Il persévérait à m'encourager.

Il a fallu que des événements que je ne contrôlais pas me poussent à écouter ses conseils.

Et pour commencer, je suis retourné voir ma famille, j'ai visité mon pays.

40

— Je suis le roi de la dinde. Lance-toi dans le poulet ! Il reste de la place ici dans le monde de la volaille.

Abdel Moula m'a fait une proposition en or. Il était prêt à partager son territoire avec moi. Je n'ai pas pu accepter. Pour moi, toutes les bêtes à plumes se valent et je ne me voyais pas numéro deux. Premier ou rien. Jusque-là, j'avais surtout été rien, il fallait que ça change. Je me voyais encore moins prendre la place d'un ami qui m'accueillait si généreusement. Je me voyais mal au Maroc, d'ailleurs, tout simplement : je restais persuadé que si le projet de base de loisirs à Saïdia n'avait pas abouti, c'était en grande partie à cause de mes origines. Les Algériens et les Marocains ne s'aiment pas beaucoup. Les premiers reprochent aux seconds de se prendre pour les princes du Maghreb, forts de leur culture et de leurs richesses. Les Marocains reprochent aux Algériens leur manque de courage, leur paresse, leur rugosité. L'administration marocaine a dressé tous les obstacles possibles pour m'empêcher d'épouser Amal. Il a fallu que je la fasse venir en France avec un visa de tourisme pour l'arracher aux griffes de son pays. Le Maroc voulait garder Amal mais il ne voulait pas de moi.

Il m'est vite apparu que tout serait plus facile en Algérie et qu'au moins, là-bas, je ne trahirais personne. Abdel Moula a proposé de me former à l'élevage. De la construction des bâtiments au choix des graines, il m'a tout appris. Monsieur Pozzo a joué au banquier. Un banquier très spécial qui ne fait jamais les comptes. Et je suis parti au pays pour trouver un endroit où m'établir.

Cela faisait plus de trente ans que je n'avais pas mis les pieds en Algérie. J'avais tout oublié de ses couleurs, de ses parfums et de ses bruits. Les redécouvrir ne m'a pas ému. J'avais l'impression de ne les avoir jamais connus. Il s'agissait d'une rencontre, plus que de retrouvailles, et j'y allais à reculons.

Pragmatique, je restais fidèle à mon credo : *profite*. Je me disais qu'en France, tout avait déjà été fait, que les formalités administratives étaient très compliquées, que les banques ne prêtaient pas d'argent (et surtout pas aux jeunes Arabes pourvus d'un casier judiciaire), que les charges pesaient lourdement, même sur les entreprises naissantes... *Profite, Abdel, profite. Tu as toujours un passeport algérien, ton pays que tu ne connais pas t'ouvre les bras, il t'exonère de charges et d'impôts, de TVA et de frais de douane pendant quinze ans.*

Profite... Mon credo, que monsieur Pozzo appelle « la philosophie abdelienne ». Je crois que philosophie reste un grand mot...

⁂

Pendant des semaines, je sillonne le pays, d'est en ouest, du nord au sud. Je m'arrête partout, dans chaque ville, j'enquête sur les activités implantées, le nombre d'habitants, le niveau de vie des populations, le taux de chômage. J'explore les campagnes, l'état des routes qui mènent aux champs, les usines et les fermes. J'étudie la concurrence. Je n'entre pas dans Alger. Je ne cherche pas la rue indiquée au dos des enveloppes que je voyais posées, enfant, sur le radiateur de l'entrée. J'ai un bon prétexte pour éviter la capitale : ce n'est pas dans une grande ville que l'on monte un élevage de poulets ! Il faut de l'espace pour que la volaille s'ébroue et de l'air autour pour que les méchantes odeurs s'évaporent. Enfin, je découvre le lieu idéal, à Djelfa, trois cent mille habitants, la dernière grande ville avant le désert. Je fais encore quelques pas en arrière, histoire de m'écarter des habitations, et je plante mon drapeau. Enfin... J'essaie.

Pour acquérir un morceau de la terre algérienne, il faut d'abord prouver que l'on est bien un enfant du pays. Fournir un certificat de naissance : je n'ai pas accès au livret de famille de mon père. Fournir une adresse : je n'ai pas de lieu de résidence fixe. Fournir une carte d'identité : pour en faire établir une, il faut un certificat de naissance... Je rentre en France, je ne m'avoue pas encore ma défaite, mais je suis d'humeur morose. Monsieur Pozzo m'interroge et comprend l'enjeu aussitôt.

— Il n'y a pas de honte, Abdel, à demander ce qui te revient à celui qui t'a mis au monde.

Il a raison. Il n'y a pas de honte. Ni de gêne. Ni de joie. Ni d'enthousiasme. Ni d'impatience. Ni de crainte. Il n'y a rien, aucun sentiment. À la perspective de me retrouver face à un homme que je n'ai pas vu depuis plus de trente ans, je ne ressens que de l'indifférence. Mon fils Abdel Malek escalade mes genoux, il ne marche pas encore. Je lui annonce :

— Je vais aller voir grand-père. Qu'est-ce que t'en dis ?

Amal me corrige doucement.

— Son grand-père, il habite à côté de chez nous. C'est Belkacem...

⁂

J'ai eu du mal, malgré l'indifférence... À Alger, j'ai retrouvé un copain de la cité Beaugrenelle de passage dans sa famille et je l'ai chargé de faire venir l'un de mes frères dans un café, sans lui dire que j'étais là. Abdel Moumène, mon cadet de trois ans. Il était encore bébé la dernière fois que je l'avais vu. Quand il est arrivé face à moi, il a compris immédiatement à qui il avait affaire. À quelques centimètres et une poignée de kilos près, c'est vrai, nous pourrions être jumeaux.

— Abdel Yamine, c'est bien toi ! Ça alors ! Tu es là ? Mais qu'est-ce que tu fais ici ? Et tu viens souvent ? Ça alors ! Viens avec moi, je t'emmène chez les parents, ils vont être contents de te voir.

J'ai dit non. Pas cette fois. J'ai à faire. Un autre jour, peut-être.

— Ne leur dis pas que tu m'as vu.

J'étais de retour une semaine plus tard. J'ai de nouveau donné rendez-vous à Abdel Moumène au café. Il avait l'air vraiment sympa, comme type.

— Écoute, viens chez nous ! De quoi t'as peur ?

Peur ? Mais de rien ! J'ai bien failli lui en coller une.

⁂

Je me souvenais de la maison. Tout m'est revenu quand je suis entré, ma mémoire me jouait un drôle de tour. Elle me jetait à la tronche les images qui s'étaient imprimées en moi entre ma naissance et mon départ pour la France, à l'âge de quatre ans. Mais ils étaient passés où, tous ces souvenirs, pendant les années au pied des tours, à Fleury-Mérogis, dans les palaces de monsieur Pozzo ? Où est-ce qu'ils s'étaient planqués ? Dans quel coin de la cervelle d'oiseau d'Abdel Yamine Sellou le coquin, le filou, le voleur... L'auxiliaire ?

M'est revenue l'image d'un jardin immense. C'était une petite cour bétonnée. M'est revenue la silhouette d'un néflier majestueux. C'était un arbre stérile. M'est revenue une sensation d'immensité. Le salon peinait à nous contenir tous.

Il y avait du café sur une table, du café goudron, imbuvable, on s'est assis autour. Il y avait là le père, la mère, la sœur aînée, deux autres filles, Abdel Moumène et moi. Seul Abdel Ghany manquait (il vit à Paris, avec sa femme et leurs enfants, il est tranquille). On s'est beaucoup regardé sans beaucoup parler. Juste quelques mots. Pas de reproches, des constats.

— Tu nous as pas beaucoup écrit.

Pour ne pas dire pas du tout.

— Tu nous as pas beaucoup téléphoné.

Un euphémisme !

— Ça va, ta femme ?

J'ai découvert qu'ils savaient tout de ma vie par Belkacem et Amina.

— On t'a vu à la télévision, dans le film avec le monsieur handicapé.

Le monsieur handicapé. Monsieur Pozzo. Il était loin…

Je leur ai expliqué que je cherchais un terrain dans le sud du pays pour y monter un élevage de poulets. Que peut-être, ça n'était pas encore sûr, mais peut-être, j'allais m'installer par là-bas. Pas si loin. Je leur ai donné quelques indications sur mes intentions mais je ne suis pas entré dans le détail. Ils m'écoutaient sans rien répondre, ils ne donnaient pas leur avis, ils n'en demandaient pas plus. Tandis que je leur parlais, des questions s'enchaînaient dans ma tête et je ne comprenais pas qu'ils ne me les posent pas : pourquoi maintenant ? Pourquoi si tard ? Et de nous, qu'est-ce que tu veux ? À quoi tu t'attends ?

À rien.

Ils devaient s'en douter, c'est pour ça qu'ils se taisaient.

J'ai regardé le mobilier, tout simple, les canapés orientaux avec les coussins aux couleurs chatoyantes bien alignés. J'ai regardé Abdel Moumène et toutes ces frangines qui vivent chez papa-maman sans faire grand-chose de leurs journées. J'ai regardé cet homme avec ses yeux secs et clairs, ses yeux bleus comme la Méditerranée et dont je n'ai pas hérité. J'ai regardé cette femme, ses cheveux noirs, teints au henné, son chemiser d'Européenne, son ventre dont j'étais sorti trente-cinq ans plus tôt. J'ai fait l'inventaire des membres de cette famille. De tous, je suis le plus petit, le plus gras, celui qui marche sur les plus grands pieds, qui a les doigts les plus courts. Je suis le Gizmo des Gremlins. Danny DeVito à côté d'Arnold Schwarzenegger. Cité Beaugrenelle, les voisins m'ont souvent dit que je ressemblais à mon père. Ils voulaient être gentils, me faire plaisir. Ils ne savaient pas.

J'ai pensé qu'en m'emmenant à Paris, mes parents m'avaient donné de meilleures chances de vie que celles que j'aurais eues à Alger, dans cette maison modeste, à l'ombre d'un néflier rachitique, entouré par une flopée de frères et sœurs. Dans ce pays où l'on ne pousse pas les oiseaux à quitter le nid pour voler plus haut. Dans ce pays où je n'aurais jamais pu rencontrer un homme comme Philippe Pozzo di Borgo.

J'ai pu acheter le terrain à Djelfa et j'ai embauché huit hommes que je crois de bonne volonté, plus ou moins. Ensemble, on a installé un groupe électrogène, construit les bâtiments et mis l'affaire en route. Toutes les trois-quatre semaines, je rentre à Paris pour voir Amal et les enfants, qui sont scolarisés en France, y ont leurs amis et leurs habitudes. À Djelfa, je dors dans mon bureau. Et quand je vais passer quelques jours à Alger, je dors dans la chambre d'Abdel Moumène.

41

Il y aura toujours des gens pour me juger. Et donc pour me condamner, sans la moindre hésitation. Je serai toujours le petit Arabe qui profite de la faiblesse d'un homme lourdement handicapé. Je serai toujours un hypocrite, un type mal élevé qui ne respecte rien ni personne, un vaniteux qui, non content de passer à la télévision, publie ses mémoires à quarante ans ! Mais je me fiche complètement de ce qu'on peut penser de moi. Je peux me regarder dans le miroir.

Monsieur Pozzo dit que je suis plus serein parce que j'ai trouvé ma place dans la société. Il y a quelques années encore, il me croyait capable de tuer un mec « sur un coup de sang », selon son expression. Il ajoutait qu'il m'apporterait des oranges en prison, comme n'importe quel père le ferait pour son fils incarcéré. Je ne le vois pas comme mon père. Qu'il me pardonne, mais le concept de père, dans ma petite histoire, reste légèrement brumeux… Il n'est pas moins qu'un père, il n'est pas plus, il est simplement lui, Monsieur Pozzo di

Borgo, et je me retiens d'écrire son nom en majuscules du début à la fin, particule comprise.

Il est celui qui m'a appris à lire. Pas à déchiffrer, à lire. Celui qui m'a fait rattraper une partie de mon retard en matière d'éducation scolaire. Avant de le connaître, je m'amusais à dire que j'avais bac moins six. Maintenant, je suis peut-être à bac moins un, je ne sais pas. Il est celui qui m'a appris l'humilité, et il y avait du boulot ! Celui qui m'a ouvert les yeux sur les petits et grands bourgeois, un monde d'extraterrestres dont quelques habitants sont fréquentables, finalement. Il est celui qui m'a appris à réfléchir avant de répondre, et même avant d'agir. Celui qui m'a poussé à jeter le masque. Celui qui m'a dit *oui, oui Abdel, tu es le meilleur*, alors que j'en étais si peu convaincu malgré ce que je prétendais. Celui qui m'a élevé. Qui m'a amené plus haut. À devenir meilleur. Et même à assurer un minimum, comme père.

L'été dernier, j'ai emmené mes enfants faire un tour sur la Seine en bateau-mouche. On s'est assis parmi les touristes qui ont bien changé depuis le temps où je les dépouillais. Il y avait beaucoup de Chinois, hyper équipés sur le plan technologique, du beau matos qui doit rapporter gros aux puces de Montreuil. Il y avait pas mal de Russes aussi, de belles nanas sûrement, mais que des sacs d'os – pas mon genre –, et des types nettement plus costauds que moi. Je ne me serais pas frotté à eux. Abdel Malek me posait des questions intelligentes, comme toujours.

— Papa, c'est quoi ce bâtiment ? On dirait une gare ?

Je me suis surpris à parler comme un livre.

— C'était une gare autrefois, tu as raison. Maintenant, c'est un musée. Orsay, ça s'appelle. Il y a des tableaux dedans. Beaucoup de tableaux.

Je me trouvais trop sérieux. Ça ne me ressemblait pas. Il a fallu que j'ajoute quelque chose.

— Tu sais Abdel Malek, il n'y avait pas d'appareils photo, avant, c'est pour ça que les gens peignaient...

Mon fils encore, un peu plus loin :

— Et ce pont, là, pourquoi il est coupé en deux ?

— Ah... Le Pont-Neuf ! Il est divisé en deux parce qu'il relie le bout de l'Île de la Cité aux deux rives de Paris.

— Il y a une cité sur l'Île de la Cité ? Une cité comme Beaugrenelle ?

— Euh... Non, il y a le Palais de Justice ! C'est là qu'on juge les gens et qu'on décide de les envoyer en prison quand ils ont fait des bêtises.

— Comme toi, papa !

Cette fois, c'est Salaheddine qui est intervenu. Mon clone en miniature. Très fier de son père, forcément.

Le bateau nous a embarqués plus loin. Les enfants m'ont parlé de la mer sur laquelle on naviguait. Je leur ai expliqué la différence entre une mer, un fleuve et une rivière. Enfin... Sur l'histoire de la source qui naît dans la montagne, je n'étais pas très sûr de moi. Nous sommes passés au pied du XVe arrondissement, je leur ai montré où je vivais quand j'étais petit comme eux ; ils s'en fichaient complètement.

— Et la statue, là, on dirait la statue de la Liberté. Mais qu'est-ce qu'elle fait ? Pourquoi elle lève le bras comme ça ?

— Parce qu'elle cherche du réseau avec son BlackBerry Torch...

Ils ont ri, mais ils ne m'ont pas cru. Je leur ai expliqué que papa ne savait pas beaucoup de choses parce qu'il n'avait pas bien écouté la maîtresse, à l'école.

— Philippe, il doit savoir, lui ! Tu n'as qu'à lui téléphoner ?

— Monsieur Pozzo, oui, il sait sûrement, Monsieur Pozzo...

J'ai deux pères, deux mères, un avatar noir ébène au cinéma, une épouse, deux fils, une fille. J'ai toujours eu des potes, des copains, des complices. Monsieur Pozzo est peut-être un ami, tout simplement. Le premier. Le seul.

Table

Vous pouvez écrire à Abdel Sellou par mail
à l'adresse suivante :
tuaschange-mavie@hotmail.fr

10307

Composition
FACOMPO

Achevé d'imprimer en France (Malesherbes)
par MAURY IMPRIMEUR
le 18 mars 2013.

Dépôt légal : mars 2013
EAN 9782290059739
OTP L21EPLN001369N001
N° d'impression : 180767

ÉDITIONS J'AI LU
87, quai Panhard-et-Levassor, 75013 Paris

Diffusion France et étranger : Flammarion